Vivaldi / *Gloria RV 589*

FONDAZIONE GIORGIO CINI
ISTITUTO ITALIANO ANTONIO VIVALDI

ANTONIO VIVALDI

Gloria
PER DUE SOPRANI E CONTRALTO SOLISTI,
CORO A QUATTRO VOCI MISTE,
TROMBA, OBOE, DUE VIOLINI,
VIOLA E BASSO
RV 589

Riduzione per canto e pianoforte condotta sull'edizione critica della partitura a cura di	Reduction for voice and piano based on the critical edition of the orchestral score by

MICHAEL TALBOT

RICORDI

Riduzione per canto e pianoforte di – Reduction for voice and piano by Antonio Frigé

Traduzione italiana di – Italian translation by Francesco Degrada

Copyright © 2002 Casa Ricordi Srl per la partitura
Copyright © 2014 Casa Ricordi Srl per la riduzione
Via Crespi, 19 – area Mac4 – 20159 Milano (MI)

CP 141113
ISBN 978-88-7592-975-6
ISMN 979-0-041-41113-2

INDICE / CONTENTS

PREFAZIONE GENERALE

I criteri che guidano la nuova edizione critica delle opere di Antonio Vivaldi sono analiticamente esposti nelle *Norme editoriali*, redatte a cura del Comitato Editoriale dell'Istituto Italiano Antonio Vivaldi. Se ne offre qui un estratto che descrive, nei termini indispensabili alla comprensione della riduzione per canto e pianoforte, la tecnica editoriale adottata.

L'edizione si propone di presentare un testo il più possibile fedele alle intenzioni del compositore, così come sono ricostruibili sulla base delle fonti, alla luce della prassi di notazione contemporanea e delle coeve convenzioni esecutive.

La tecnica di edizione adottata per opere singole o gruppi di opere è illustrata nell'*Introduzione* che contiene:

1. Una trattazione dell'origine e delle caratteristiche generali della composizione (o delle composizioni).
2. Un elenco delle fonti (comprese le fonti letterarie quando rivestano particolare importanza).
3. Una descrizione di tutte le fonti che il curatore ha collazionato o consultato, comprese le più importanti edizioni moderne.
4. Una relazione e una spiegazione relative alle scelte testuali derivanti dallo stato delle fonti e dalle loro reciproche relazioni e alle soluzioni adottate per composizioni particolarmente problematiche, non previste nella *Prefazione generale*. In particolare viene specificato quale fonte è usata come *fonte principale* dell'edizione, quale (o quali) sono state *collazionate*, *consultate* o semplicemente *elencate*.
5. Una discussione sulla prassi esecutiva relativa alla composizione o alle composizioni edite.

Nell'*Apparato critico*, dedicato alla lezione originale e alla sua interpretazione, sono trattate tutte le varianti rispetto alla fonte principale e alle fonti collazionate.

Ogni intervento del curatore sul testo che vada al di là della pura traslitterazione della notazione antica o che non corrisponda a un preciso sistema di conversione grafica qui segnalato, viene menzionato nell'*Apparato critico* o evidenziato attraverso specifici segni:

1. Parentesi rotonde (per indicazioni espressive o esecutive mancanti nelle fonti e aggiunte per assimilazione orizzontale o verticale; per correzioni e aggiunte del curatore laddove nessuna delle fonti fornisce, a suo giudizio, un testo corretto).
2. Corpo tipografico minore (per l'integrazione del testo letterario incompleto o carente sotto la linea o le linee del canto; per la realizzazione del basso continuo per strumento a tastiera, se presente).
3. Linee tratteggiate ⟋ ⌐ ⁻ ⁻ ⁻ ⁻ ⁻ ⸗⟍ per legature di articolazione o di valore aggiunte dal curatore.
4. Semiparentesi quadre ⌐ ⌐ per il testo musicale o letterario di un rigo derivato in modo esplicito (mediante abbreviazione) o implicito da un altro rigo.

Non vengono di norma segnalati nell'edizione gli interventi del curatore nei casi seguenti:

1) Quando viene aggiunta una legatura tra l'appoggiatura e la nota principale. Questa regola vale anche nel caso di gruppi di note con funzione di appoggiatura.
2) Quando segni di articolazione (per esempio punti di staccato) sono aggiunti a una serie di segni simili per assimilazione, sulla base di inequivocabili indicazioni della fonte.
3) Quando la punteggiatura viene corretta, normalizzata o modernizzata; lo stesso vale per l'ortografia e l'uso delle maiuscole.
4) Quando abbreviazioni comunemente usate vengono sciolte.

5) Quando pause di un'intera battuta mancanti nella fonte vengono aggiunte, e non c'è alcun dubbio che una parte del testo musicale sia stata inavvertitamente omessa.
6) Quando vengono introdotti dal curatore segni ritmici indicanti modalità di esecuzione.

Nell'*Apparato critico* l'altezza dei suoni viene così citata:

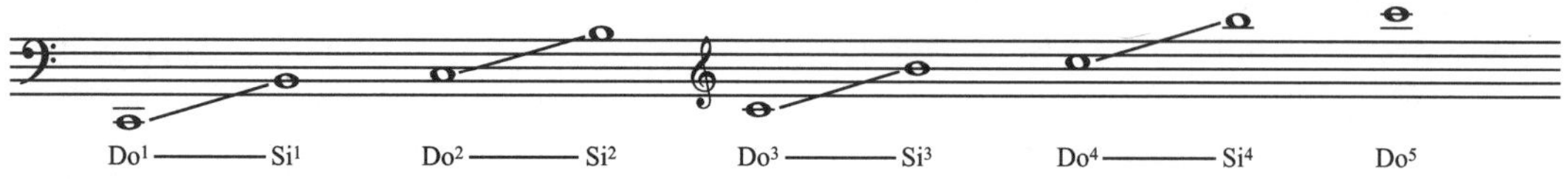

Le armature di chiave sono modernizzate per intere composizioni o per singoli movimenti, e l'armatura di chiave originale è indicata nell'*Apparato critico*. L'edizione usa le seguenti chiavi per le parti vocali: la chiave di violino, la chiave di violino tenorizzata e la chiave di basso. Le chiavi originali o i cambiamenti di chiave sono registrati nell'*Apparato critico*.

Per quanto concerne il trattamento delle alterazioni, le fonti settecentesche della musica di Vivaldi seguono l'antica convenzione secondo la quale le inflessioni cromatiche mantengono la loro validità solamente per il tempo in cui la nota alla quale è premessa l'alterazione è ripetuta senza essere interrotta da altri valori melodici, indipendentemente dalla stanghetta di battuta. Pertanto la traslitterazione nella notazione moderna comporta l'automatica aggiunta di certe alterazioni e la soppressione di altre. Inflessioni cromatiche non esplicite nella notazione della fonte originale, ma aggiunte dal curatore, sono segnalate, quando è possibile, nella riduzione, mettendo tra parentesi l'alterazione o le alterazioni introdotte. Se la stessa alterazione è presente nell'armatura di chiave, ovvero appare precedentemente nella stessa battuta, mantenendo dunque, secondo le convenzioni moderne, la propria validità, l'intervento del curatore viene segnalato nell'*Apparato critico*, dove viene offerta la lezione originale. Quando si fa riferimento a note della fonte che, anche se interessate da un'inflessione cromatica, non sono precedute da alcuna alterazione (generalmente perché l'inflessione è prescritta dall'armatura di chiave), la parola o il simbolo per l'inflessione sono racchiusi tra parentesi.

Le numeriche del basso continuo possono essere, se necessario, corrette dal curatore, che tuttavia non ne aggiungerà di nuove. Le alterazioni sono apposte davanti alle numeriche cui si riferiscono e i tratti trasversali indicanti l'alterazione cromatica di una nota ($\not{6}$) sono sostituiti dal diesis o dal bequadro corrispondenti. L'abbassamento di un semitono di una cifra del basso precedentemente diesizzata, è sempre indicata col segno di bequadro, anche se le fonti, talvolta, usano per lo stesso scopo il segno di bemolle.

Quando la ripetizione del «Da Capo» non è scritta per esteso (come avviene per lo più nelle composizioni vocali), la prima sezione deve essere ripetuta dall'inizio o dal segno 𝄋, sino alla cadenza della tonalità fondamentale, contrassegnata generalmente da una corona, o sino al segno 𝄋. Nelle arie e in composizioni vocali simili, il «Da Capo» deve essere eseguito dal solista (o dai solisti) con nuovi abbellimenti, in armonia con il carattere ritmico e melodico del brano.

Nei recitativi, le appoggiature per la parte di canto non vengono indicate una per una nel testo dell'edizione, pertanto il cantante deve compiere sempre una scelta giudiziosa del luogo ove introdurle. Di norma sono richieste in tutte le formule cadenzali nelle quali c'è un intervallo discendente prima dell'ultima sillaba accentata di una frase; se l'intervallo è una seconda o una terza maggiore o minore, la sillaba accentata è cantata un tono o un semitono sopra (secondo l'accordo sottostante) rispetto alla nota successiva; se l'intervallo è più ampio di una terza, la sillaba accentata è intonata alla stessa altezza della nota precedente. Questo vale sia che il basso abbia o non abbia una cadenza, sia che la nota dell'appoggiatura sia consonante o meno col basso. Talvolta si possono introdurre appoggiature anche all'interno di una frase, per dare importanza a certe parole, anche quando l'ultima sillaba accentata è raggiunta partendo da una nota inferiore. Ma anche in questo caso, la nota dell'appoggiatura deve essere più alta rispetto alla nota successiva; appoggiature ascendenti possono essere consigliabili in frasi che terminano con un punto di domanda o che richiedano una particolare espressività. Nei recitativi, quando non altrimenti indicato, tutte le note del basso e gli accordi corrispondenti del rigo superiore devono essere eseguiti come «attacchi» di breve durata; questo, in particolare, nella musica vocale profana. Devono essere tenuti solo gli accordi alla fine di un recitativo, segnalata da una corona.

Il trattamento ritmico degli accordi delle cadenze nell'accompagnamento dei recitativi è generalmente suggerito, nell'edizione, dalla realizzazione del basso continuo; ritardare troppo gli accordi sulle cadenze non è consigliabile nei recitativi di composizioni profane. Le «cadenze posposte», nelle quali la nota del basso entra dopo che la voce ha smesso di cantare, sono suggerite nell'edizione solo per conclusioni cadenzali particolarmente importanti, mediante l'inserzione di una virgola tra parentesi sopra il rigo superiore e inferiore.

Dopo una cadenza, nel corso di un recitativo, è da evitare un ritardo nell'attacco della frase successiva, a meno che una virgola tra parentesi non lo richieda espressamente.

Gli abbellimenti vocali e strumentali diversi da quelli da impiegarsi nel «Da Capo» e nei recitativi, sono aggiunti dal curatore (tra parentesi) se assenti nella fonte, nei punti in cui sono di norma richiesti dalle convenzioni esecutive dell'epoca di Vivaldi. Se la fonte indica o sottintende una cadenza, questo verrà specificato nell'*Apparato critico*, ma di norma non ne verrà offerta una realizzazione. Nelle arie con «Da Capo» è richiesta di solito una cadenza almeno alla fine dell'ultima sezione, e spesso anche alla fine della seconda (quella centrale); ciò non verrà specificato caso per caso nell'*Apparato critico*, salvo laddove occorra chiarire l'esatta posizione della cadenza stessa.

GENERAL PREFACE

The guiding principles behind the new, critical edition of the works of Antonio Vivaldi are set out in detail in the *Editorial Norms* agreed by the Editorial Committee of the Istituto Italiano Antonio Vivaldi. We give below a summary which describes, in terms essential to the understanding of the reduction for voice and piano, the editorial principles adopted.

The edition aims at maximum fidelity to the composer's intentions as ascertained from the sources in the light of the contemporary notational and performance practice.

The editorial method employed for single works or groups of works is described in the *Introduction* which normally contains:

1. A statement of the origin and general characteristics of the compositions.
2. A list of sources, including literary sources when relevant.
3. A description of all the sources collated or consulted by the editor, including the most important modern editions.
4. An account and explanation of decisions about the text arising from the state of the sources and their interrelationship, and of solutions adopted for compositions presenting special problems, unless these are already covered in the *General Preface*. In particular, it will be made clear which source has been used as the *main source* of the edition, and which others have been *collated, consulted* or merely *listed*.
5. A discussion of performance practice in regard to the composition(s) published.

A critical commentary concerned with original readings and their interpretation, lists all variations existing between the main source and the collated sources.

All instances of editorial intervention which go beyond simple transliteration of the old notation or which do not conform to a precise system of graphical conversion described below will be mentioned in the *Critical Commentary* or shown by special signs:

1. Round brackets (for marks of expression or directions to the performer absent in the sources and added through horizontal or vertical assimilation; for editorial emendations where none of the sources, in the editor's judgement, provides a correct text).
2. Small print (to complete an underlaid text when some or all words are missing; for the realization for keyboard of the continuo, if present).
3. Broken lines ⁓ ‒ ‒ ‒ ‒ ‒ ⁓ for slurs and ties added editorially.
4. Square half-brackets ⌐ ¬ for musical or literary text derived explicitly (by means of a cue) or implicitly from that on (or under) another staff.

Normally, the editor will intervene tacitly in the following cases:

1) When a slur linking an appoggiatura to the main note is added. This applies also to groups of notes functioning as appoggiaturas.
2) When marks of articulation (e.g. staccato dots) are added to a series of similar marks by assimilation and the source leaves no doubt that this is intended.
3) When punctuation is corrected, normalized or modernized; the same applies to spelling and capitalization.
4) When commonly used abbreviations are resolved.
5) When whole-bar rests absent in the source are added, there being no reason to think that a portion of musical text has inadvertently been omitted.
6) When editorial rhythmic signs indicating a manner of performance are added.

In the *Critical Commentary,* the pitches are cited according to the following system:

til the tonic cadence at the end of this section, which is usually marked by a fermata, or until the sign ⫶ .

The key signatures of whole compositions or individual movements are modernized where appropriate and the original key signature given in the *Critical Commentary.* The edition employs the following clefs for vocal parts: treble, "tenor G" and bass clefs. Original clefs or clef changes are recorded in the *Critical Commentary.*

In regard to the treatment of accidentals, the 18th-century sources of Vivaldi's music adhere to the old convention whereby chromatic inflections retain their validity for only so long as the note to which an accidental has been prefixed is repeated without interruption, irrespective of barlines. Conversion to modern notation thus entails the tacit addition of some accidentals and the suppression of others. Chromatic inflections not made explicit in the notation of the original source but supplied editorially are shown where possible in the reduction for voice and piano, the one or more accidentals entailed being enclosed in parentheses. If the same accidental is present in the key signature or appears earlier in the same bar, therefore remaining valid under the modern convention, the editorial intervention is recorded in the *Critical Commentary,* where the original reading is given. When reference is made to notes of the source that, although chromatically inflected, are not themselves preceded by any accidental (usually because the inflection is prescribed by the key signature), the word or symbol for the inflection is enclosed in parentheses.

Where necessary, the figures of the *basso continuo* may be corrected by the editor, who will not add any new figures, however. Accidentals precede the figures to which they refer, and cross-strokes indicating the chromatic inflection of a note (6) are replaced by the appropriate accidental. The lowering by a semitone of a previously sharpened bass figure is always indicated by the natural sign, although the sources sometimes use the flat sign synonymously.

Where the "Da Capo" repeat is not written out (mostly in vocal pieces), the first section has to be repeated, from the beginning or from the sign ⫶ un-

In arias and similar vocal pieces the "Da Capo" repeat should be performed by the soloist(s) with new embellishments in accordance with the rhythmic and melodic character of the piece.

In recitatives the appoggiaturas for the singer are not indicated individually in the main text of the edition, as the singer has always to make a judicious selection of the places where to sing them. They are normally expected in all cadential formulas where there is a falling interval before the last accented syllable of a phrase; if the interval is a minor or major second or third; the accented syllable is sung a tone or semitone higher (according to the harmony) than the following note; if the interval is larger than a third, the accented syllable is sung at the same pitch as the preceding note. This is valid whether or not the bass actually cadences at that point, and whether or not the appoggiatura is consonant or dissonant with the bass. Occasionally, appoggiaturas can also be sung within a phrase, to lend emphasis to certain words, even when the last accented syllable is approached from below. Here, too, the appoggiatura should lie above the note following it, but rising appoggiaturas may be appropriate in phrases ending with a question mark or where special expressiveness is required. All bass notes of the recitatives, including the corresponding chords in the upper staff, should be performed as short "attacks", at least in secular music, where not otherwise indicated. Sustained chords are limited to those at the end of a recitative, marked by a fermata.

The rhythmic treatment·of cadential chords in the accompaniment of recitative is usually suggested in the edition by the continuo realization; longer delays of the cadential chords are not appropriate in secular recitative. "Postponed cadences", where the bass note enters after the voice has finished, are suggested in the edition only at major stopping points, by the insertion of a bracketed comma in the upper and lower staff at this juncture. After a cadence within the course of a recitative there should be no delay in the attack of the next phrase, unless a bracketed comma specifically calls for it.

Other vocal and instrumental embellishments than those in "Da Capo" repeats and in recitatives are supplied editorially (in brackets) if absent from the source, where they are normally required by the performing conventions of Vivaldi's age. If the source indicates or implies a cadenza, this will be pointed out in the *Critical Commentary,* but normally no specimen of one will be supplied. In "Da Capo" arias cadenzas are usually expected at least at the end of the last section, and often also at the end of the second (middle) section; this will not be specifically pointed out in the *Critical Commentary* except in cases where the exact position of the cadenza needs clarification.

INTRODUZIONE

La musica sacra vocale di Vivaldi, che può essere ulteriormente suddivisa nelle categorie della musica liturgica e della musica non liturgica, comprende oltre cinquanta composizioni riconosciute come autentiche. Molte di esse, forse la maggioranza, furono scritte per il *Coro* del Pio Ospedale della Pietà, l'istituzione veneziana per trovatelli alla quale il compositore veneziano fu legato per molta parte della sua attività, nei periodi nei quali non era disponibile un *maestro di coro* per quel compito; tali periodi si collocano negli anni 1713-1719 (tra la partenza del maestro Gasparini e l'incarico a Carlo Luigi Pietragrua) e negli anni 1737-1739 (tra la partenza del maestro Porta e la sua sostituzione con Gennaro D'Alessandro). È importante ricordare tuttavia che, una volta conquistata una reputazione in questo genere di composizioni, Vivaldi ricevette commissioni per musiche vocali sacre da varie altre parti, cosicché sarebbe un errore identificare in maniera troppo esclusiva questo aspetto della sua attività con la Pietà.

Il presente *Gloria*, RV 589, è la più nota delle due intonazioni vivaldiane superstiti, al punto che per la maggioranza del pubblico viene considerato come «il *Gloria*» di Vivaldi.[1] La sua popolarità in tempi moderni risale al 20 settembre 1939, quando Alfredo Casella lo scelse tra le dozzine di lavori sconosciuti del compositore che egli aveva esaminato nei fondi manoscritti Foà e Giordano della Biblioteca Nazionale di Torino, per farne il brano principale di un concerto di musiche vocali sacre di Vivaldi; questo si tenne a Siena sotto gli auspici dell'Accademia Musicale Chigiana, durante il suo festival musicale annuale (*Settimana musicale*), quell'anno dedicato interamente a Vivaldi. Fu ancora Casella che due anni più tardi preparò un'edizione del *Gloria*, divenendo il primo di una lunga serie di curatori.[2] Mentre l'edizione di Casella è sfigurata da tagli arbitrari e da altre modificazioni che appaiono totalmente ingiustificabili dall'attuale prospettiva, la maggior parte di coloro che lo seguirono offrirono testi che, con l'eccezione di piccoli dettagli, tramandano le intenzioni del compositore con ragionevole scrupolo. Tra questi vi è Gian Francesco Malipiero, responsabile dell'edizione Ricordi, pubblicata nel 1970. Una speciale menzione merita la recente edizione curata da Paul Everett per la Oxford University Press.[3] Oltre ai suoi meriti per quanto concerne il testo musicale, contiene un'introduzione, un apparato critico e un'appendice che costituiscono un contributo significativo agli studi vivaldiani. Everett ha anche scritto un saggio illuminante sul manoscritto del *Gloria*, che integra l'introduzione alla sua edizione.[4] Si deve anche citare la recente monografia di chi scrive, *The Sacred Vocal Music of Antonio Vivaldi*, nella quale a RV 589 viene conferito il rilievo che merita.[5]

Alla luce della sua odierna posizione dominante, può forse destare sorpresa il fatto che RV 589 – a differenza del *Magnificat* (contando tutte le sue varianti) – sia pervenuto attraverso una sola fonte contemporanea.[6] Questa è la partitura autografa con-

---

[1] L'altra intonazione, RV 588, anch'essa in Re maggiore e – a quanto sembra – quasi contemporanea di RV 589, fu pubblicata nella Nuova edizione critica nel 1990.

[2] Milano, Carisch, 1941.

[3] PAUL EVERETT, *Antonio Vivaldi: Gloria, RV 589*, Oxford-London, Oxford University Press, 1997. In seguito questa edizione verrà citata in forma abbreviata come *Gloria*.

[4] PAUL EVERETT, *Vivaldi at Work: the Autograph of the "Gloria" RV 589*, «Informazioni e studi vivaldiani. Bollettino annuale dell'Istituto Italiano Antonio Vivaldi», 17 (1996), pp. 68-87. In seguito questo saggio verrà citato in forma abbreviata come *Vivaldi at Work*.

[5] MICHAEL TALBOT, *The Sacred Vocal Music of Antonio Vivaldi*, Firenze, Olschki, 1995. Vedi specialmente le pp. 16-19, 339-347 e 469-472. In seguito questo libro verrà citato in forma abbreviata come *Sacred Vocal Music*.

[6] Il «Gloria a 5 voc: Oboe Trombae D# Vivaldi» elencato nell'inventario dei Kreuzherren di Praga (vedi MICHAEL TALBOT, *Sacred Vocal Music*, p. 164) può, tuttavia, essere identico a RV 589 piuttosto che a RV 588 o a qualche altro lavoro ancora non identificato. Sia RV 588 sia RV 589 hanno un movimento che richiede due soprani, corrispondendo pertanto alla descrizione «a 5 voc:», dal momento che è necessaria una parte separata per il secondo soprano. Il riferimento all'«Oboe»

servata presso la Biblioteca Nazionale di Torino, nel codice Giordano 32, cc. 90-129. Mentre la partitura, specialmente se osservata in riproduzione, sembra a prima vista possedere un aspetto nitido e ordinato, che può indurre (come di fatto ha indotto) all'erronea ipotesi che si tratti di una bella copia ricavata da un preesistente manoscritto, la realtà, come ha dimostrato Everett, è che tutti i movimenti, ad eccezione del primo, contengono numerose modifiche realizzate con cura, grattando via il testo originale prima di introdurre nel testo la nuova versione: questo identifica senza alcun dubbio la fonte come un «manoscritto di composizione», e cioè come un «abbozzo originale di lavoro» (*original draft*).[7] L'edizione di Everett fornisce minuziose indicazioni circa le lezioni originali che Vivaldi in seguito modificò.[8] Sarebbe contrario alla nostra politica editoriale ripetere nell'Apparato critico di questa edizione questo insieme di informazioni con la stessa analiticità, ma alcune modificazioni di particolare interesse saranno discusse nel luogo opportuno.

L'assenza di correzioni dell'autore nel primo movimento è un'anomalia che richiede un tentativo di spiegazione. La ragione più semplice potrebbe essere quella che, nella sua forma originale, l'abbozzo

era così disordinato che Vivaldi fu costretto a ricopiarlo prima di procedere oltre. O forse egli poté giovarsi solo per questo movimento di schizzi preparatori. Una possibilità più complessa e stuzzicante è che Vivaldi possa aver utilizzato il movimento da una composizione preesistente – non necessariamente un'altra intonazione del *Gloria* – e, poiché non aveva da aggiungervi niente di particolarmente significativo sul piano della composizione, riuscì a produrre al primo tentativo un testo quasi impeccabile. Su questa ipotesi torneremo più avanti.

La struttura fisica del manoscritto – la serie dei diversi fascicoli che lo compone – è insolitamente irregolare, un dato che riflette i problemi di Vivaldi durante la composizione e forse anche (sebbene certo non nella stessa misura) un generale processo di modificazione durante la permanenza del lavoro nel repertorio attivo. L'unità bibliografica di base è, come al solito, il quaderno di quattro carte prodotto ripiegando due volte il grande foglio originale. La sequenza secondo la quale i quaderni si susseguono è mostrata da una serie di numeri, che vanno in questo caso da l a 12, scritti da Vivaldi nell'angolo superiore destro del quaderno rispettivo. Solo i quaderni l (cc. 90-93), 2 (cc. 94-97), 4 (cc. 101-104), 9 (cc. 118-121) e 11 (cc. 124-127) sono completamente regolari – e la regolarità del quaderno 4 è in realtà fittizia, poiché la qualità fisica della doppia carta (*bifolio*) interna non è dello stesso tipo della doppia carta esterna. A tutti i rimanenti fascicoli furono aggiunte nuove carte, sottratte o rimpiazzate in varie configurazioni.[9] Il fascicolo 10, contenente il movimento *Quoniam tu solus sanctus*, è costituito solo da una doppia carta e il fascicolo 12 consiste solo di due doppie carte sciolte incollate al fascicolo 11.

Vivaldi usò per la partitura due tipi di carta da musica in quarto oblungo. Entrambi furono realizzati nello Stato veneto, come comprova la loro filigrana costituita da tre «mezze lune»: essi hanno un gruppo di dodici righi tirati (dalla manifattura o dal fornitore) in un sol tratto su ogni «apertura di pagina».[10] I righi erano di norma tirati separatamente per ogni pagina;

---

[7] Vedi Paul Everett, *Gloria*, pp. vi-viii, e *Vivaldi at Work*, *passim*. Entrambi i commenti partono giustamente dalla mia osservazione (*Sacred Vocal Music*, p. 331) che «nessuna sezione della partitura presenta l'aspetto di un manoscritto di lavoro». L'eccezionale ordine di Vivaldi, suggerisce, naturalmente, che il compositore desiderava che la sua partitura assomigliasse a una copia professionale. In tal caso, questo può essere stato determinato dal fatto che essa doveva essere usata come materiale d'esecuzione piuttosto che come una copia d'archivio del tipo consueto. Non tutti i cambiamenti devono necessariamente essere stati fatti mentre era in corso la composizione del rispettivo movimento o anche di tutto il lavoro; alcuni possono essere stati introdotti successivamente, alla luce dell'esperienza esecutiva.

[8] In *Vivaldi at Work* Everett dedica molto spazio alle modifiche più interessanti, facendo uso di tavole e di esempi musicali per illustrare la sua posizione, ma discute le altre in modo più generico.

Il riferimento alle «Trombae» (al plurale) è davvero sibillino, in quanto non combacia né con RV 588 né con RV 589. Tuttavia non si può escludere la possibilità che i musicisti locali aggiungessero una seconda parte di tromba. A causa dell'incertezza sull'identità del lavoro, Ryom gli assegna il numero di catalogo indipendente RV 590.

si attaglierebbe tanto a RV 588, con i suoi due oboi, quanto a RV 589, con il suo oboe solo, dal momento che nell'italiano antico il nome dello strumento, come il francese «hautbois» (dal quale deriva), è invariabile nel plurale. Per la verità, l'inventario spesso specifica il numero degli oboi quando ne ricorre più di uno, ma non siamo sicuri che questo accada sempre.

---

[9] Sia l'articolo di Everett, sia la sua edizione includono un diagramma della fascicolazione del manoscritto e forniscono un commento analitico sulla paginazione.

[10] Un'«apertura di pagina» è costituita da un *verso* e dal *recto* successivo corrispondente. Everett fornisce ulteriori dettagli sui tipi di carta in *Gloria*, pp. v-vi. I gruppi di righi erano tirati con uno strumento a più punte chiamato dai contemporanei «pettine» e noto ai musicologi come «rastrum».

il vantaggio di permettere loro di correre per l'intera superficie del foglio originale non ancora piegato consisteva nel fatto che, in qualunque maniera le carte fossero piegate, la notazione musicale poteva procedere direttamente da un *verso* a un *recto* di ogni carta, senza la necessità di ripetere graffe, chiavi e armature di chiave su quest'ultimo. Carta di questo tipo viene generalmente impiegata nel repertorio della musica sacra vocale, come dimostrano le numerose partiture non vivaldiane presenti nella biblioteca del compositore.[11] Un'altra caratteristica specifica dei due tipi di carta usati per il *Gloria* è che su ogni pagina sono presenti sette linee che attraversano verticalmente l'intero gruppo dei righi, tirate probabilmente dal fabbricante o dal fornitore, piuttosto che dall'utilizzatore. Queste linee delimitano le battute e possono essere opportunamente suddivise per produrre battute più piccole.[12] Come fa osservare correttamente Everett, la dimensione della battuta prodotta da questi segni di divisione si adatta perfettamente alla musica con metro in 4/2 (*alla breve*) che faccia un uso limitato di note di valore più piccolo – in altre parole alla musica sacra nello «stile antico».[13] Anche questo è dimostrato dalle composizioni nella biblioteca di Vivaldi.

Il primo tipo di carta, provvisoriamente denominato «B33» da Everett nel corso della sua indagine, tuttora in corso, sulle carte usate da Vivaldi, presenta uno schema di rigatura («rastrografia») classificata come 12/197.8, cioè a dire: i dodici righi misurano 197,8 mm. dalla linea superiore del rigo più alto alla linea inferiore del rigo più basso. Il secondo tipo di carta, «B25», presenta una rastrografia leggermente più compatta: 12/187.2. Le dimensioni delle pagine di entrambi i tipi di carta sono le stesse: circa 230 mm. (in orizzontale) per 310 mm. (in verticale).[14] Da un punto di vista funzionale, pertanto, i due tipi di carta sono identici e devono essere stati senza dubbio venduti come tali dal fornitore.

Vivaldi usò la carta B33 per i primi otto fascicoli (cc. 90-117), che ospitano i primi sette movimenti. L'ultima carta del gruppo (c. 117), una pagina sciolta

incollata (con l'aiuto di quanto rimaneva della pagina corrispondente originale) a una doppia carta (cc. 115-116), contiene solo le ultime cinque battute del *Domine Deus, Agnus Dei*; il suo *verso* è vuoto. Il fatto che Vivaldi non abbia iniziato l'ottavo movimento sulla c. 117v non può essere spiegato facilmente, ma può dipendere sia da un ripensamento relativo al *Domine Deus, Agnus Dei* che modificò la sua lunghezza, sia dall'«effetto a catena» di altri cambiamenti.

La carta B25 servì per i fascicoli 9-12. Vivaldi l'aveva usata precedentemente già due volte nel manoscritto: una volta (c. 112) per una carta aggiunta che presumibilmente sostituiva quella originale del tipo B33; e un'altra volta (c. 105r) per un ritaglio incollato contenente le bb. 11-15 del *Gratias agimus tibi*.

Entrambi i tipi di carta, con varie rastrografie, furono usati da Vivaldi per un lungo periodo di tempo. B25 si può far risalire almeno sino all'*Ottone in villa* (1713). Con identica rastrografia appare anche nel manoscritto del *Laudate pueri Dominum* in Do minore, RV 600, dello stesso Vivaldi. B33 ha un numero maggiore di concordanze rastrografiche. Una è il primo fascicolo del manoscritto del concerto per violino RV 172, conservato a Dresda.[15] La partitura è dedicata al suo allievo ed amico Johann Georg Pisendel e il lavoro probabilmente risale al periodo del soggiorno del violinista tedesco a Venezia (1716-1717). Inoltre, la carta usata nelle altre parti del manoscritto di questo concerto mostra connessioni – sul piano della rastrografia – con diversi manoscritti che trasmettono lavori dello stesso periodo, inclusi quelli delle opere *Arsilda, regina di Ponto* e dell'*Incoronazione di Dario*, rappresentati per la prima volta rispettivamente il 27 o il 28 ottobre 1716 e il 23 gennaio 1717, e quello dell'oratorio *Juditha triumphans devicta Holofernis barbarie*, eseguito negli ultimi mesi del 1716. Queste date si restringono intorno alla fine del 1716 e l'inizio del 1717, ed è questo il periodo nel quale la partitura di RV 589 fu probabilmente composta e notata. È più che probabile che Vivaldi in origine avesse deciso di usare la carta B33 per l'intero manoscritto, ma poi questa terminò prima della fine, a causa dello sciupìo di carta de-

---

[11] Vedi MICHAEL TALBOT, *Sacred Vocal Music*, pp. 122-125.

[12] Questa carta con le linee di battuta prerigate precorre la cosiddetta carta da musica «squadrata» («squared») usata in Gran Bretagna un secolo fa per realizzare partiture d'orchestra e per banda.

[13] PAUL EVERETT, *Gloria*, p. v.

[14] Com'è consueto per i manoscritti non rilegati di Vivaldi, i bordi delle carte non sono rifilati.

[15] Dresden, Sächsische Landesbibliothek, Mus. 2389-O-42. Il fatto che la carta, identica sotto il profilo rastrologico, usata in questo manoscritto non ha le stanghette di battuta prerigate, suggerisce con forza che queste furono realizzate in un momento più prossimo al suo uso rispetto ai righi. Per una trattazione più ampia dei problemi relativi alla rastrografia, vedi PAUL EVERETT, *Gloria*, p. vi.

rivante dalle sue modifiche. B25, una carta che sembra che Vivaldi abbia incominciato ad usare in precedenza, può essere stata una «scorta» messa da parte per eventualità di questo genere.

Vivaldi usò la pagina di apertura del primo fascicolo, la c. 90r, come frontespizio. Il suo testo è contenuto interamente tra la terza e la quarta stanghetta di battuta prerigata e tra il sesto e il nono rigo (dal basso). Esso suona: «Gloria / à <u>4</u> con Istro:^{ti} / Del Viualdi / [fregio]».[16]

Immediatamente sopra il rigo più alto Vivaldi collocò il suo famoso monogramma formato da lettere sovrapposte che, quando sono scritte *in extenso*, come avviene nella partitura autografa della sua opera *L'Olimpiade*, si leggono come LDBMDA. Motti religiosi presentati in forma di acrostici erano comuni in manoscritti dei compositori del tempo. Per esempio, troviamo le lettere LDBV («Laus Deo Beataeque Virgini») in partiture autografe di Alessandro e Francesco Scarlatti, Benedetto Marcello e persino dello stesso Vivaldi (nel concerto per violino RV 208). La formula più lunga usata per il monogramma di Vivaldi è meno facile da sciogliere in parole, ma nessuno ha sinora migliorato la proposta avanzata da Reinhard Strohm: «Laus Deo Beataeque Mariae Deiparae. Amen». Altri otto lavori di Vivaldi pressappoco contemporanei di RV 589 esibiscono il monogramma nelle loro partiture autografe: il concerto per due violini RV 507, il *Credo*, RV 591, il *Laudate pueri Dominum*, RV 600, il *Laudate pueri Dominum*, RV 602, il *Laetatus sum*, RV 607, l'introduzione RV 635, l'introduzione e *Gloria*, RV 639/588, e la *Juditha triumphans*. Tutti questi manoscritti hanno un aspetto quasi calligrafico e quasi tutti posseggono frontespizi separati. Può darsi che non ci sia nessuna spiegazione «profonda» per queste somiglianze. Semplicemente, Vivaldi può avere adottato per breve tempo un'abitudine che presto abbandonò.

La grafia e lo stile notazionale sono tipici del periodo immediatamente precedente al trasferimento a Mantova di Vivaldi nel 1717. L'aspetto della notazione piuttosto allungato e «filiforme» che si osserva nei manoscritti di Vivaldi a partire dall'inizio di questo decennio (quello del concerto «in due cori» RV 585 è uno dei primi esempi) ha lasciato il posto a una forma più convenzionale, gli spessi tratti di penna caratteristici dei manoscritti del decennio 1720-

1730 e più tardi non sono ancora presenti. Si osservano abitudini anteriori al 1720, come il posizionamento dei numeri dei fascicoli a destra anziché a sinistra e l'uso di indicazioni complete per i metri ternari (per es.: «3/4» invece di «3»). Troviamo anche le solite semplificazioni notazionali: pause di un'intera battuta sono generalmente omesse, passaggi in unisono sono indicati con prescrizioni del tipo «Vt supra» o «Vnis:ⁿⁱ»; ripetizioni immediate del testo posto sotto la musica sono indicate con un segno speciale (che assomiglia al moderno simbolo per la divisione); in passi omofonici il testo posto sotto le note derivato da altre parti è semplicemente omesso.

Come sempre Vivaldi inserisce la designazione delle parti prima dei righi all'inizio di un movimento solo quando queste non possono essere dedotte dalle chiavi relative e dalla posizione in partitura. I violini e la viola, le voci (che usano le chiavi di soprano, di contralto, di tenore e di basso) e il basso strumentale non hanno bisogno di specificazioni. Questa pratica fa sì che solo gli strumenti a fiato (una tromba e un oboe) siano identificati per nome. Com'è normale nelle partiture italiane (ma non in quelle tedesche) dell'epoca di Vivaldi, la parte della tromba reca l'indicazione «tromba» ed è notata in suoni reali con armatura di chiave completa.[17]

Nei movimenti e nelle sezioni scritte nello stile «severo» (il *Propter magnam gloriam*, il *Qui tollis peccata mundi* e il *Cum Sancto Spiritu*), Vivaldi nota di tanto in tanto il basso strumentale in chiavi diverse dalla consueta chiave di basso. Questo avviene quando la parte di basso vocale tace e un'altra parte vocale assume la funzione di «basso». In genere, anche se con qualche eccezione, Vivaldi tratta la parte del basso strumentale come un «basso seguente», che raddoppia qualsiasi parte si trovi al grave in un determinato momento, notandola nella stessa chiave della parte vocale.[18] Il passaggio a una chiave «più alta» (tenore, contralto o violino) non ha come scopo solo quello di evitare tagli addizionali:

---

16 Il manoscritto si conclude con un caratteristico, vistoso «Finis», sottolineato da un fregio, dopo la doppia stanghetta finale alla c. 129r (la c. 129v è vuota).

17 Le partiture tedesche preferiscono usare il termine «clarino» per una parte di tromba acuta e notare queste parti in Do maggiore, anche se lo strumento è tagliato in Re.

18 Lo studioso americano Tharald Borgir ha eccepito (*The Performance of the Basso Continuo in Italian Baroque Music*, Ann Arbor, U.M.I. Research Press, 1987, p. 13) sull'uso di «basso seguente» come termine tecnico, poiché esso non viene usato con lo stesso significato nella letteratura del periodo barocco, dove ha lo stesso significato di «basso continuo». Tuttavia il termine, nel suo significato moderno, è troppo radicato e insieme troppo comodo per poterne fare a meno.

segnala anche agli esecutori che il basso vocale tace ed implica che gli strumenti melodici (violoncello, viole, etc.) devono anch'essi tacere sino a che ritorni la chiave di basso. Piccoli trattini verticali posti da Vivaldi sotto il rigo del basso strumentale ogni volta che la musica si discosta da, ovvero ritorna alla chiave di basso (eccezionalmente, la chiave di tenore, come alla b. 19 del movimento 11), sono probabilmente un mezzo per segnalare ai copisti di inserire le pause appropriate nelle parti degli strumenti melodici (il compositore boemo Jan Dismas Zelenka usava la stessa convenzione notazionale per distinguere la strumentazione per i «soli» e per i «tutti»). L'uso di una chiave più «alta» implica, inoltre, che la realizzazione del basso continuo deve essere mantenuta leggera e semplice e in certi casi, interrotta. Questo è il modo nel quale questo cambiamento di chiavi è stato interpretato nella presente edizione, nella quale le chiavi di violino o di basso, a seconda dei casi, sostituiscono le tre chiavi di Do usate nella fonte. Nell'ultimo movimento di RV 589 Vivaldi fornisce, nel rigo del basso strumentale, alcuni modelli su come «realizzare» un «basso seguente» scritto in una chiave acuta (cfr. le bb. 7, 16-18 e 72-73). Questi consistono in poco più che in un raddoppio di una delle parti superiori e il loro scopo sembra quello di limitare, piuttosto che di incoraggiare, l'armonizzazione della parte più grave. Tali suggerimenti sono stati mantenuti in questa edizione e possono essere distinti dalla realizzazione del curatore per il fatto che compaiono sul rigo più basso.

I problemi di strumentazione sono strettamente legati alla natura del luogo e alla finalità per le quali questo *Gloria* fu scritto per la prima volta. Molti indizi fanno pensare alla Pietà, ove nel 1716 e nella prima parte del 1717 Vivaldi deteneva ancora la responsabilità principale per la composizione di nuovi lavori vocali sacri. Tutte le voci solistiche sono acute (soprani o contralti) e le parti corali per i tenori e i bassi si mantengono quasi sempre in un registro relativamente alto. Il Coro della Pietà vantava un certo numero di specialiste nelle parti gravi, ma anche un coro femminile moderno potrebbe cantare la parte di tenore senza alcuna trasposizione all'acuto e quella del basso solo con qualche trasposizione.[19] D'altra parte, la combinazione di un'unica tromba e di un unico oboe era normale in questo periodo a San Marco ogniqualvolta i membri della Cappella ducale si trasferivano in occasione di particolari festività in altre chiese veneziane (ma naturalmente non c'è ragione per la quale anche la Pietà non adottasse questa strumentazione). Le conseguenze pratiche legate alla precisa determinazione del luogo della prima esecuzione non sono in verità particolarmente importanti. Qualsiasi intonazione relativamente convenzionale del testo del *Gloria* era destinata a diventare un brano di repertorio dopo la sua prima presentazione in un'occasione particolare. Se RV 589 fu eseguito per la prima volta alla Pietà, Vivaldi avrà tenuto conto sin dall'inizio delle possibili successive esecuzioni con voci maschili. Se al contrario esso vide la luce altrove, in occasione di una particolare festività, il compositore avrà tenuto presente le possibilità del Coro della Pietà per esecuzioni successive. Questo significa che nessun coro moderno, qualunque sia il suo organico e le sue caratteristiche, dovrebbe porsi scrupoli ad eseguire il *Gloria* se ha l'abilità tecnica di intonare il testo musicale. Per l'esecuzione di composizioni barocche, l'organico del complesso è raramente, di per se stesso, un problema: quello che conta davvero è l'equilibrio interno del complesso e il suo rapporto con l'acustica e lo spazio del luogo nel quale la composizione viene eseguita.

L'occasione per la quale RV 589 fu eseguito per la prima volta è ancora più difficile da determinare. Potrebbe essere stato scritto per la celebrazione del Natale 1716 o, precedentemente, nello stesso anno, per la festività patronale della Pietà, il 2 luglio. Altrove ho avanzato l'ipotesi che sia stato composto per un servizio di ringraziamento per le vittorie militari e navali di Venezia contro gli Ottomani alla fine del 1716.[20] Questa congettura è stata suggerita dal carattere un po' «militare» del movimento di apertura, che ricorda quello del coro iniziale della *Juditha triumphans*.

Un'intonazione del *Gloria* all'epoca di Vivaldi era generalmente completata da quella di un *Kyrie* – i due testi venivano cantati senza interruzione durante un servizio (a meno che si fosse scelto di intercalarvi un mottetto del tipo delle «introduzioni» di Vivaldi). Sappiamo che Vivaldi, alla fine del 1716, aveva già composto un *Kyrie*, poiché la minuta dei governatori datata 2 giugno 1715, nella quale gli viene accreditato l'emolumento annuale di 50 ducati, fa riferimento

[19] Sull'esecuzione delle parti di tenore e di basso alla Pietà, vedi MICHAEL TALBOT, *Tenors and Basses at the Venetian Ospedali*, «Acta musicologica», 66 (1994), pp. 123-138.

[20] MICHAEL TALBOT, *Sacred Vocal Music*, p. 331. La Repubblica e i suoi alleati sconfissero i Turchi a Petrovaradin il 5 agosto 1716 e liberarono la fortezza di Corfù il 22 agosto 1716.

a «una Messa intiera».[21] L'unica intonazione super-stite di un *Kyrie* di Vivaldi – in Sol minore e per doppio coro – risale a una data molto posteriore. Rimane dunque incerto se RV 589 fu composto nello stesso tempo di un *Kyrie* ad esso collegato ed ora perduto, o se fu concepito per essere accoppiato a una preesistente intonazione del *Kyrie*.

A questo proposito, la relazione di RV 589 con l'«altro» *Gloria* in Re maggiore, RV 588, acquista un particolare significato. Gli straordinari parallelismi tra le due intonazioni – tra l'altro la loro struttura tonale molto simile e i movimenti finali quasi identici – suggeriscono che l'uno fu composto in sostituzione dell'altro, forse per essere usato insieme con gli stessi *Kyrie* e *Credo*.[22] Purtroppo la cronologia relativa dei due lavori non è stata determinata, e pertanto non si può sapere quale sia servito da «modello» per l'altro, anche se io sono propenso a credere che RV 589 sia l'intonazione più recente.[23] La verità può essere anche più complessa di quanto si possa immaginare, poiché uno dei due lavori (o entrambi) può essere un *mélange* di movimenti composti in epoche diverse.

A RV 588 è collegato, com'è noto, un mottetto introduttivo (RV 639 e la sua variante RV 639a), il cui movimento finale sfocia nel movimento d'apertura del lavoro principale. Se in un'esecuzione moderna si vuol far precedere RV 589 da una simile introduzione, è possibile scegliere tra tre composizioni indipendenti destinate, secondo il loro titolo e il loro testo, a precedere un *Gloria*: *Cur sagittas, cur tela, cur faces*, RV 637 (per contralto solo), *Longe mala, umbrae, terrores*, RV 640 (per contralto solo), e *Ostro picta, armata spina*, RV 642 (per soprano solo).[24]

Tra questi, il più adatto è certamente RV 642, che può essere riferito allo stesso periodo, è perfettamente congruente sotto il profilo tonale (è infatti anch'esso in Re maggiore) e ha addirittura anche chiare affinità tematiche con RV 589.[25] RV 640, che comincia in Si bemolle maggiore e finisce in Mi minore, è un lavoro un po' più tardi. Tuttavia può fornire un'appropriata transizione tonale – come forse si prevedeva dovesse fare in origine – se il *Kyrie* in Sol minore RV 587 viene accoppiato nell'esecuzione a RV 589. RV 637, in Si bemolle maggiore, è troppo lontano sotto il profilo cronologico, stilistico e tonale per fornire un soddisfacente abbinamento. È inutile dire che non c'è nessun obbligo di far precedere RV 589 da un'introduzione.

Ci sono tre importanti problemi di prassi esecutiva che hanno anche conseguenze sulla prassi editoriale: la distinzione tra parti solistiche e corali nella sezione vocale, la strumentazione del basso, la notazione e il trattamento delle dinamiche.

Nelle normali esecuzioni moderne i solisti e il coro sono rigorosamente separati: occupano diverse posizioni, non hanno in comune materiale musicale e hanno persino differenti stili di emissione vocale. Al tempo di Vivaldi, al contrario, un solista in un'esecuzione in chiesa era in genere un membro autorevole del coro stesso.[26] Di conseguenza, un passo solistico, una sezione o un movimento possono essere definiti come una porzione della musica nella quale tutte le voci del coro che leggono da un determinato rigo smettono di cantare, eccetto una. Il coro era concepito come un gruppo di solisti – generalmente solo uno o due per tipo di voce – sostenuti da un certo numero di cantanti «di ripieno». In generale – e questo principio era largamente applicato nella musica religiosa italiana del primo Settecento – i cantanti «di ripieno» entrano quando viene messo in campo l'intero organico vocale. Se, per esempio, si vede solo una chiave di soprano o due chiavi di soprano, se ne deduce che la musica è destinata a un cantante per cia-

---

21 Venezia, Archivio di Stato, Ospedali e luoghi pii diversi, Busta 689, Notatorio I, cc. 172v-173r. «Intiera», in questo contesto, probabilmente significa un *Kyrie*, un *Gloria* e un *Credo*.

22 Le affinità sono discusse con una certa ampiezza in MICHAEL TALBOT, *Sacred Vocal Music*, pp. 329-332. Il manoscritto autografo del *Credo*, RV 591, è legato sotto il profilo rastrologico a quello di RV 588, con il quale forma una coppia naturale, ma anche RV 589 si connette molto bene con RV 591.

23 Poiché le modifiche alla fuga *Cum Sancto Spiritu* (tratta indipendentemente, come vedremo, da un lavoro di G. M. Ruggieri) sono e più radicali e più riuscite in RV 589, è difficile comprendere il motivo per il quale Vivaldi avrebbe deciso, se RV 588 fosse un lavoro più tardo, di disfarsene in favore di una revisione più cauta. Anche se il manoscritto autografo di RV 588 sembra poco più tardo di RV 589, occorre tener conto che questa fonte è (con qualche riserva) una bella copia piuttosto che un manoscritto di lavoro e dunque le conseguenze per la cronologia non sono decisive.

24 Tutte e tre le introduzioni sono apparse nella Nuova edizione critica, a cura di chi scrive.

25 Vedi MICHAEL TALBOT, *Sacred Vocal Music*, pp. 301-302. RV 642 si riferisce nel testo alla festività della Visitazione della B. V. M., la festività patronale della Pietà, e questo potrebbe fornire un indizio per il luogo e la data della prima esecuzione di RV 589. Tuttavia, occorre una certa cautela, in quanto non è sicuro (anche se accettiamo il legame tra le due opere come un dato di fatto) che RV 642 sia stato anteposto a RV 589 al momento della sua prima presentazione; potrebbe esservi stato aggiunto, per esempio, nel luglio del 1717.

26 Si può fare un'eccezione per quelle occasioni in cui un cantante d'opera partecipava come «ospite» a un servizio sacro.

scuna parte. Pertanto i movimenti 3, 5 e 9 di RV 589 sono senza dubbio per voci soliste, anche se Vivaldi non le ha indicate espressamente così. Il caso del movimento 7, *Domine Deus, Agnus Dei*, è più complesso. Qui Vivaldi fornisce indicazioni di «tutti» e «solo» per il rigo di contralto: la parte di contralto è da interpretarsi come «solo» quando canta da solo, come «tutti» quando canta insieme con gli altri. Il dilemma riguarda il fatto se il solista debba tacere nei passaggi marcati «tutti» o debba continuare a cantare. Si sarebbe tentati di adottare la prima soluzione, in quanto l'effetto responsoriale che si crea si adatta alla regolare alternanza di «solo» e «tutti» e anche alla distinzione testuale e strutturale delle due componenti. Tuttavia Vivaldi quasi certamente intendeva che il contralto solista continuasse a cantare, in quanto altrimenti avrebbe affidato a lui (o a lei) un rigo separato (per il quale non mancava spazio nella pagina).

Il basso strumentale di Vivaldi occupa un unico rigo. Tuttavia non può esserci dubbio che egli aveva a disposizione per l'esecuzione di questa parte un alto numero e una grande varietà di strumenti armonici e melodici. Alla prima categoria appartengono l'organo, il clavicembalo (o la spinetta) e strumenti a pizzico quali l'arciliuto e la tiorba. Alla seconda, i violoncelli, i contrabbassi e forse (specialmente nei movimenti in «stile antico») uno o più tromboni. È certo che tutti gli effettivi degli strumenti del basso e del continuo non erano messi in campo per ogni movimento, ma Vivaldi non offre nessun suggerimento su come la strumentazione potesse essere variata. Seguendo la consueta prassi della Nuova edizione critica, le indicazioni aggiunte dal curatore «tutti» e «solo» sono usate in modo generico per distinguere movimenti e passaggi con organici relativamente pesanti e relativamente leggeri. La regola empirica che abbiamo seguito è che ogni qualvolta la viola è presente, la strumentazione è per il «tutti», quando è assente, la strumentazione è per il «solo». A parziale modifica delle Norme editoriali, si precisa che le indicazioni «solo» e «tutti», quando aggiunte dal curatore, figurano tra parentesi. Naturalmente le sezioni contrassegnate come «tutti» e «solo» non debbono necessariamente avere una strumentazione uniforme. Per esempio, se un oboe solista suona nel movimento 5, un fagotto può fargli da efficace contrappeso, mentre un violoncello solo (più organo o clavicembalo) si adatta bene al ritornello e alle sezioni vocali del movimento 7. Alla fine, considerazioni pratiche e pragmatiche, ispirate, ma non impacciate, da informazioni storiche, dovrebbero prevalere.

Una realizzazione del basso continuo viene fornita dal curatore in partitura, con la consapevolezza tuttavia che al giorno d'oggi molti esecutori – forse la maggioranza di coloro che si specializzano nella musica barocca – sono capaci di improvvisarla. Tuttavia rimangono molti esecutori per i quali questo è un compito non consueto e difficile, ed è a loro che si rivolge quella realizzazione. Essa deve essere destinata a uno strumento specifico e il curatore ha optato per l'organo, in quanto questo era senza dubbio il principale e più diffuso strumento d'armonia utilizzato nella musica da chiesa dell'epoca di Vivaldi. La realizzazione sfrutta in certa misura la capacità dell'organo di sostenere il suono. Pertanto, se si sostituisce un clavicembalo all'organo, molte note dovranno essere ripetute, gli accordi opportunamente rimpolpati, aiutandosi anche con le dita della mano sinistra, per ottenere quello che i teorici tedeschi contemporanei a Vivaldi chiamavano un accompagnamento *vollstimmig* (a piena voce). Un accompagnamento da parte di un liuto o di una tiorba renderà necessaria una riorganizzazione più radicale della condotta delle parti.

Le indicazioni dinamiche originali che si incontrano in RV 589, come nella maggioranza delle fonti originali di Vivaldi, sono molto rade. In questo lavoro sono limitate a brevi sezioni in «piano» (ripetizioni in eco o simili) e indicazioni di «forte» che prescrivono il ristabilimento della dinamica originale. Normalmente ci si aspetta che la dinamica sia «forte» all'inizio di un movimento, solo per il fatto che vengono impiegati tutti gli strumenti, ma possono esservi anche eccezioni. Per esempio, un'indicazione «sempre piano» – o semplicemente una dinamica iniziale «piano» – potrebbe adattarsi molto bene all'*Et in terra pax* e fornire un efficace contrasto con i movimenti vicini. Si pone poi la *vexata quaestio* se in un'esecuzione storicamente consapevole le dinamiche debbano essere solo «a terrazze» ovvero se si possa ammettere sia un trattamento «a terrazze» sia «graduale». In questa edizione sono state aggiunte dal curatore solo poche dinamiche e queste hanno un carattere schematico e generale, all'interno del quale sfumature ulteriori debbono essere aggiunte dagli esecutori.

Rimangono da fare alcune osservazioni ulteriori su singoli movimenti:

1. *Gloria in excelsis Deo*
In questo movimento l'oboe è trattato sostanzialmente come una seconda tromba sostitutiva (*ersatz second trumpet*), ed occorrerebbe pertanto cercare un timbro appropriato. Poiché molte frasi musicali sono costituite da un numero dispari di mezze battute, è molto probabile che l'accento possa cadere sul terzo tempo piuttosto che sul primo tempo della battuta in quattro tempi.[27] Il metodo moderno di battere in quattro diversifica tra il primo e il terzo tempo, ed è importante fare in modo che questa convenzione non influenzi negativamente il flusso della musica. Vedi le osservazioni al movimento 10.

2. *Et in terra pax*
Questo movimento deve sicuramente iniziare «piano», ma un certo rinforzo del suono è richiesto nei passi quali la progressione ascendente alle bb. 78-82. Nel secondo movimento di RV 588 (assai affine a questo), le battute finali, che in maniera simile ripetono una figura ostinata sopra un'armonia di tonica, cambiano la dinamica in «piano», poi in «più piano» (suggerendo un decrescendo continuo). Significativamente, l'idea iniziale di Vivaldi era di porre una *tierce de Picardie* alla battuta 89 e di mantenere la terza maggiore sino alla fine del movimento. Fortunatamente, ebbe poi un'idea migliore e grattò via tutti i diesis.[28] L'indicazione di tempo «Andante» suggerisce, nell'uso del tempo di Vivaldi, un tempo più veloce di quello che in una partitura moderna saremmo portati ad attribuire al termine.

3. *Laudamus te*
Vivaldi incominciò a mettere in musica il «Lau» di «Laudamus te» considerandolo come composto da due sillabe separate, forse influenzato da un *Gloria* in Sol maggiore di G. M. Ruggieri in suo possesso (RV Anh. 24), che fa la stessa cosa. La decisione successiva di tornare a una più convenzionale interpretazione monosillabica lo costrinse a introdurre molte modifiche nella musica.[29]

4. *Gratias agimus tibi*
La seconda sezione di questo movimento, in metro *alla breve*, è molto probabilmente un «imprestito» tratto da un lavoro di un altro compositore, posseduto da Vivaldi ed ora perduto.[30] Il fugato di apertura (bb. 7-15) è basato su un soggetto nel quale l'uso arcaico del settimo grado bemollizzato (*subtonium*) è estraneo allo stile di Vivaldi; non caratteristica appare anche la triade aumentata a b. 14. Anche il soggetto «cromatico» usato a partire dalla b. 18 può essere un «imprestito», anche se non necessariamente dalla stessa composizione. Nella sua forma originale, più semplice (che Vivaldi elaborò successivamente interponendovi un paio di crome), il motivo e la sua armonizzazione assomiglia molto a quelli che si trovano nel secondo movimento di RV 588, a partire dalla b. 23.[31]

5. *Domine Deus, Rex coelestis*
Vivaldi denomina lo strumento obbligato come «Violino ò Oboe solo». Anche se nominato come secondo, l'oboe sembrerebbe la scelta più naturale per le sue associazioni pastorali (il ritmo del movimento è quello di una siciliana e il basso semplice e ripetitivo richiama fortemente quello delle cornamuse) e per il contrasto timbrico che comporta. Il fatto di permettere che la parte possa essere sostenuta da un violino può essere stato sollecitato dall'ipotesi di non poter disporre in certe occasioni di un buon oboista o di dare priorità al violino primo responsabile dell'esecuzione (*concertmaster*), che in molte esecuzioni originali dovette essere lo stesso Vivaldi. Anche se contrassegnato come «Largo», questo movimento non dovrebbe dare l'impressione di un passo trascinato.

6. *Domine Fili unigenite*
Qualora non avesse fatto parte di una composizione sacra, Vivaldi avrebbe aggiunto all'indicazione di tempo la specificazione «alla francese». La musica

---

[27] Si consideri, per esempio, il caso delle bb. 23 e 24 (anche le bb. 34 e 35), nel quale il ritardo comincia su un terzo tempo della battuta e risolve sul primo tempo della battuta successiva.

[28] Particolari si trovano in PAUL EVERETT, *Vivaldi at Work*, pp. 83-84.

[29] *Ibid.*, pp. 80-82.

[30] Sulla singolare propensione di Vivaldi a plagiare o adattare la musica di altri compositori per movimenti o sezioni nello «stile antico», vedi MICHAEL TALBOT, *Sacred Vocal Music*, pp. 464-483. L'ipotesi senza dubbio corretta di Everett (*Gloria*, p. viii) che il rattoppo sulla c. 105v, che contiene le bb. 11-15, fu reso necessario per reinserire una battuta accidentalmente saltata (probabilmente la b. 15), rafforza l'idea che Vivaldi stesse copiando, piuttosto che componendo, il testo musicale.

[31] L'elaborazione è discussa in PAUL EVERETT, *Vivaldi at Work*, pp. 82-83.

è completamente dominata dal ritmo saccadé del basso e l'assimilazione ritmica delle poche crome eguali al prevalente schema «puntato» sembra ovvia. Segni ritmici introdotti dal curatore mostrano come possono essere realizzate queste modifiche.

7. *Domine Deus, Agnus Dei*
Questo fantasioso movimento combina – o meglio intreccia – sezioni contigue del testo liturgico che sono di norma intonate separatamente: «Domine Deus, Agnus Dei, Filius Patris» e «Qui tollis peccata mundi, miserere nobis». Per complicare le cose, ripropone anche frasi dei testi intonati nei movimenti precedenti: «Domine Deus, Rex coelestis» e «Domine Deus, Fili unigenite». Vivaldi non era estraneo a amalgame o a tropature di questo genere – la sua esperienza di sacerdote sembra lo rendesse quasi noncurante nel trattamento del testo liturgico – ma questo è certamente l'esempio più sorprendente di tutti. È importante, nell'esecuzione di questo movimento, permettere al basso, che con le sue figure ripetute fa da tessuto unificante, di emergere con chiarezza.

8. *Qui tollis peccata mundi*
La sezione in metro 3/2, che inizia a b. 8, non ha indicazione di tempo. La soluzione più semplice è di cantare le prime due sillabe, «su» e «sci» esattamente allo stesso tempo delle loro omologhe nella b. 7. È possibile che questo movimento sia un «imprestito» sostitutivo di un'intonazione precedente. Inizia su un fascicolo nuovo dopo un *verso* vuoto (c. 117r, che conclude il fascicolo ottavo); l'assenza di un'armatura di chiave, quando Fa diesis viene richiesto per tutto il movimento, suggerisce che possa essersi trattato, in origine, di una sezione all'interno di una composizione in Do maggiore o in La minore. Ruggieri avrebbe potuto certamente concepire l'ambiguità enarmonica rilevabile nella b. 3.

9. *Qui sedes ad dexteram Patris*
Il tempo di questo movimento può forse essere influenzato dal fatto che il motivo di cinque note che inizia sulla prima nota della b. 4 annuncia la riapparizione della stessa idea musicale (incontrata per la prima volta in un diverso contesto metrico alla b. 2 del primo movimento) nel movimento 10. Le numerose note sostenute nella linea vocale, che si estendono per due o più battute, si prestano più a una «messa di voce» (un rafforzamento progressivo del suono,

seguito da un diminuendo) piuttosto che ad abbellimenti con trilli o «diminuzioni». Ci sono molte occasioni in questo movimento per un fraseggio «emiolico» (dove due battute adiacenti in 3/8 sono fraseggiate e accentate come una battuta in 3/4).

10. *Quoniam tu solus sanctus*
Everett, come altri prima di lui, commenta con disappunto l'estrema brevità di questo movimento.[32] La musica, di fatto, è una ripresa del primo movimento, ma senza tutte le modulazioni e senza lo sviluppo tematico centrali. Questo suggerisce un'interessante congettura. Non è normale in intonazioni del *Gloria* dell'epoca di Vivaldi che nel movimento finale, o nel gruppo dei movimenti finali, si ricerchi una simmetria di tipo tematico o tonale con il movimento iniziale. In RV 588 il movimento corrispondente rimane in una tonalità indipendente (Sol maggiore) e non è collegato tematicamente al primo episodio. Ma queste riprese abbreviate sono molto comuni in intonazioni di salmi per il Vespro, nei quali le parole della Dossologia minore «Sicut erat in principio, et nunc, et semper, et in saecula saeculorum» permettono al compositore di fare per così dire un gioco di parole sul riferimento al «principio», citando il materiale dell'inizio. Un esempio di questo procedimento nella musica di Vivaldi si trova nel *Dixit Dominus*, RV 595, una composizione temporalmente vicina a RV 589. Anche qui il penultimo movimento è una versione con nuovo testo, drasticamente abbreviata, del primo. È possibile che i movimenti 1 e 10 di RV 589 siano stati presi di sana pianta, adattandovi un nuovo testo e con le conseguenti necessarie modifiche ritmiche, dall'intonazione di un salmo? Questo potrebbe ben spiegare i motivi per i quali il movimento fu messo in partitura senza modificazioni dettate da ripensamenti. A causa della sua brevità è opportuno considerare, sul piano interpretativo, il *Quoniam tu solus sanctus* come un'introduzione alla doppia fuga conclusiva. Questo implica una rapida transizione al movimento finale.

11. *Cum Sancto Spiritu*
Questo fu il primo movimento di Vivaldi che si scoprì essere stato «preso a prestito» da un altro compositore: la sua derivazione dal movimento equivalente di un *Gloria* in Re maggiore per doppio coro

---

[32] PAUL EVERETT, *Gloria*, p. vi.

e orchestra (datato 9 settembre 1708) composto da un contemporaneo più anziano di Vivaldi, Giovanni Maria Ruggieri, è stata molto discussa.[33] L'unica fonte superstite di questo lavoro (RV Anh. 23) si trova tra le composizioni conservate nell'archivio personale di Vivaldi.[34] Ruggieri, che si pensa essere di origine veronese, non è un compositore molto raffinato, ma certamente è molto efficace.[35] La compressione operata da Vivaldi nei confronti della partitura di Ruggieri, per ridurla a una versione per un unico coro, rimane quasi sempre fedele al modello. In diversi punti Vivaldi vi apporta piccoli ma significativi miglioramenti (particolarmente nella scrittura per la tromba, la messa in musica del testo, l'uso del cromatismo e lo sviluppo dei motivi), un paio di volte si muove in maniera un po' goffa, soprattutto nella parte strumentale del basso. Come è stato osservato giustamente da Everett, Vivaldi era contrario ad apportare modifiche sostanziali a musiche preesistenti, sue o di altri.[36] In questo i suoi «imprestiti» sono molto diversi da quelli di Händel. Per quanto concerne questo caso, si apprezza il fatto che il movimento di Ruggieri non solo è di per sé una composizione pregevole, ma si adatta molto bene, sotto il profilo tematico, al resto di RV 589. La moralità

di Vivaldi può sembrare sospetta, ma il suo intuito musicale si rivela infallibile.

In questa edizione la grafia e la punteggiatura del testo liturgico appaiono in forma normalizzata. Ecco il testo del *Gloria*:

Gloria in excelsis Deo.
Et in terra pax hominibus bonae voluntatis.
Laudamus te. Benedicimus te. Adoramus te. Glorificamus te.
Gratias agimus tibi propter magnam gloriam tuam.
Domine Deus, Rex coelestis, Deus Pater omnipotens.
Domine Fili unigenite, Jesu Christe.
Domine Deus, Agnus Dei, Filius Patris.
Qui tollis peccata mundi, miserere nobis.
Qui tollis peccata mundi, suscipe deprecationem nostram.
Qui sedes ad dexteram Patris, miserere nobis.
Quoniam tu solus sanctus, tu solus Dominus, tu solus Altissimus, Jesu Christe.
Cum Sancto Spiritu, in gloria Dei Patris. Amen.

---

[33] MICHAEL TALBOT, *Sacred Vocal Music*, pp. 132-136 e 466-472; PAUL EVERETT, *Vivaldi at Work*, pp. 75-77, e *Gloria*, pp. viii-ix. L'edizione di Everett contiene, in appendice, un'edizione critica completa della fuga di Ruggieri.

[34] Torino, Biblioteca Nazionale Universitaria, Foà 40, cc. 63-97. Come e quando Vivaldi (o suo padre?) acquistò questa collezione di dimensioni raguardevoli di musica sacra composta da altri compositori è un problema che attende ancora una risposta.

[35] Ruggieri è descritto come «Cittadino Veronese» nel manoscritto di una sua aria d'opera conservata nella biblioteca del Sacro Convento di San Francesco, Assisi (Mss. N. 174/10). Questo è possibile, vista la presenza di un'importante famiglia Ruggieri a Verona. Tuttavia non si può escludere la possibilità di un erroneo scioglimento dell'abbreviazione «C. V.» (presente nella partitura di RV Anh. 23), che può anche significare «Cittadino Veneto» o «Cittadino Veneziano». Nelle sue opere a stampa Ruggieri fa riferimento a se stesso come a un «Cittadino Veneto» – un cittadino dello stato veneto piuttosto che della città di Venezia – e questa definizione è compatibile con la sua nascita sia a Verona che a Venezia.

[36] PAUL EVERETT, *Vivaldi at Work*, p. 75.

INTRODUCTION

Vivaldi's sacred vocal music, which can be further divided into liturgical and non-liturgical categories, comprises over fifty works reckoned authentic. Many of them, perhaps most, were written for the *Coro* of the Pio Ospedale della Pietà, the Venetian institution for foundlings with which the composer was associated for much of his working life, during periods when no *maestro di coro* was available for the task; such periods occurred in 1713–1719 (between the departure of *maestro* Gasparini and the appointment of Carlo Luigi Pietragrua) and 1737–1739 (between the departure of *maestro* Porta and his replacement by Gennaro D'Alessandro). It is important to remember, however, that once Vivaldi's reputation in this branch of composition was established, he received commissions for sacred vocal music from various other sources, so that it would be a mistake to equate this side of his activity too exclusively with the Pietà.

The present *Gloria*, RV 589, is the more familiar of Vivaldi's two extant settings—so much so that for most people it remains "the" Vivaldi *Gloria*.[1] Its modern popularity dates from 20 September 1939, when Alfredo Casella chose it from among the dozens of unknown works by the composer he had examined in the Foà and Giordano manuscripts of the Biblioteca Nazionale, Turin, to be the main item in a concert of Vivaldi's sacred vocal music given at Siena under the auspices of the Accademia Musicale Chigiana during its annual music festival (*Settimana musicale*), which that year was devoted entirely to Vivaldi. It was again Casella who two years later became the first of a long line of editors to prepare the *Gloria* for publication.[2] While Casella's edition is disfigured by arbitrary cuts and other modifications that seem totally unjustified from a present-day perspective, most of its successors

offer texts that, small details apart, convey the composer's intentions reasonably accurately. Among these is Gian Francesco Malipiero's edition for Ricordi, issued in 1970. A special status is earned by Paul Everett's recent edition for Oxford University Press.[3] In addition to its merits as a musical text, this contains an introduction, critical commentary and appendix that in themselves make a significant contribution to Vivaldi scholarship. Everett has also produced an illuminating article on the *Gloria* manuscript that complements the introduction to his edition.[4] Mention may also be made of the present editor's recent book *The Sacred Vocal Music of Antonio Vivaldi*, in which RV 589 occupies its due place.[5]

In the light of its dominance today, it is perhaps surprising that RV 589—unlike Vivaldi's Magnificat (counting all its variants)—exists in only one contemporary source.[6] This is the autograph score pre-

---

[3] PAUL EVERETT, *Antonio Vivaldi: Gloria, RV 589*, Oxford-London, Oxford University Press, 1997. In later references this edition will be identified as *Gloria*.

[4] PAUL EVERETT, *Vivaldi at Work: the Autograph of the "Gloria" RV 589*, "Informazioni e studi vivaldiani. Bollettino annuale dell'Istituto Italiano Antonio Vivaldi", 17 (1996), pp. 68–87. In later references this article will be identified as *Vivaldi at Work*.

[5] MICHAEL TALBOT, *The Sacred Vocal Music of Antonio Vivaldi*, Florence, Olschki, 1995. See especially pp. 16–19, 339–347 and 469–472. In later references this book will be identified as *Sacred Vocal Music*.

[6] The "Gloria a 5 voc: Oboe Trombae D# Vivaldi" listed in the inventory of the Prague Kreuzherren (see MICHAEL TALBOT, *Sacred Vocal Music*, p. 164) may, however, be identical with RV 589 rather than with RV 588 or some other work as yet unknown. Both RV 588 and RV 589 have a movement requiring two sopranos, thereby conforming to the description "a 5 voc:", since a separate part for second soprano is needed. The reference to "Oboe" would fit RV 588, with its two oboes, just as well as RV 589, with its single oboe, since in older Italian the name of the instrument, following the French word "hautbois" (from which it is derived), is unvaried in the plural. True, the inventory often specifies the number of oboes where there is more than one, but there is no certainty that this invariably happens. The reference to "Trombae" (in the plural) is admittedly puzzling, since it fits neither RV 588 nor RV 589. However, one should not rule

---

[1] The other setting, RV 588, which is also in D major and appears to be roughly contemporary with RV 589, was published in the New Critical Edition in 1990.

[2] Milan, Carisch, 1941.

served in the Biblioteca Nazionale, Turin, in the volume Giordano 32, fols 90–129. While the score, especially when viewed in reproduction, has at first sight a neat appearance that can easily lead (and has in practice led) to the mistaken assumption that it is a fair copy of an earlier manuscript, the reality, as Everett has shown, is that all movements except the first contain a number of neatly executed alterations, made by scraping away the original text before writing in the new material, that identify the source unambiguously as a "composition manuscript": an original draft.[7] Everett's edition gives chapter and verse for the original readings that Vivaldi modified.[8] It would be contrary to general policy to repeat this information in equal detail in the Critical Commentary of the present edition, but a few alterations of especial interest will be discussed at the appropriate place.

The absence of authorial corrections to the first movement is an anomaly demanding an attempt at explanation. The simplest reason would be that, in its original state, the draft was so untidy that Vivaldi was impelled to recopy it before proceeding further. Or perhaps he had the benefit of preliminary sketches for this movement only. A more complex and intriguing possibility is that Vivaldi borrowed the movement from an earlier work—not necessarily another setting of the *Gloria*—and, because he had no significant new composing to do, was able to produce an almost impeccable text at the first attempt. This hypothesis will be reconsidered later on.

The collation of the manuscript—its formation into gatherings—is unusually irregular, a fact that reflects Vivaldi's travails as he composed it and per-

haps also (though certainly not to the same extent) a cumulative process of modification during the work's life in the active repertory. The basic bibliographical unit is, as usual, the *foglio*, a gathering of four folios produced by folding the original large sheet twice. The sequence in which the gatherings occur is shown by a series of numbers, here running from 1 to 12, written by Vivaldi in the top right-hand corner of the respective gathering. Only gatherings 1 (fols 90–93), 2 (fols 94–97), 4 (fols 101–04), 9 (fols 118–121) and 11 (fols 124–127) are entirely regular—and the regularity of gathering 4 is actually factitious, since the paper of the inner bifolio did not originally belong with that of the outer bifolio. The remaining gatherings have all had folios added, subtracted or replaced in various configurations.[9] Gathering 10, containing the *Quoniam tu solus sanctus* movement, is a simple bifolio, and gathering 12 consists merely of two loose bifolios attached with glue after gathering 11.

Vivaldi used two types of oblong quarto music manuscript paper for his score. Both were manufactured in the Venetian state, as their "three crescents" watermark establishes, and have a set of twelve staves ruled (by the manufacturer or the dealer) in a single action across each opening.[10] Staves were normally ruled separately for each page; the advantage of allowing them to run along the full width of the original unfolded sheet was that, in whatever way the folios were gathered, musical notation could always proceed directly from a *verso* to a *recto* without the need to repeat brackets, clefs and key signatures on the latter. Paper of this kind is associated above all with sacred vocal music, as the numerous non-Vivaldian works in the composer's former collection demonstrate.[11] Another special feature of both types of paper used for the *Gloria* is that on each page seven vertical lines are drawn, probably by the manufacturer or dealer rather than the user, through the full set of staves. These lines mark out bars and can be subdivided as necessary

---

out the possibility that local musicians added a second trumpet part. Because of the uncertainty of the work's identity, Ryom gives it the independent number RV 590.

[7] See PAUL EVERETT, *Gloria*, pp. vi–viii, and *Vivaldi at Work*, *passim*. Both discussions rightly take issue with my statement (*Sacred Vocal Music*, p. 331) that "no part of the score has the look of a composition manuscript". Vivaldi's exceptional neatness suggests, of course, that the composer wished his score to resemble a professional copy. If so, this may have been because it was to be used as performance material rather than as an archival copy of the usual kind. Not all the changes need have been made while the composition of the respective movement, or even of the work itself, was in progress; some may have been made subsequently in the light of performance.

[8] In *Vivaldi at Work* Everett deals at greater length with the more interesting alterations, using plates and music examples to support his argument, but discusses the minor ones in a more generic manner.

[9] Both Everett's article and his edition include a diagram of the gatherings and provide more detailed commentary on the collation.

[10] An opening is a *verso* plus the facing *recto*. Everett provides further details of the papers in *Gloria*, pp. v–vi. Sets of staves were ruled by a special multi-nibbed instrument termed *pettine* (literally, "comb") in contemporary Italian and commonly known to musicologists as a *rastrum*.

[11] See MICHAEL TALBOT, *Sacred Vocal Music*, pp. 122–125.

to produce smaller bars.[12] As Everett correctly observes, the length of bar produced by these divisions is tailored perfectly to music in 4/2 (*alla breve*) metre that makes limited use of shorter note values—in other words, to church music in the *stile antico*.[13] This, too, is borne out by the works in Vivaldi's collection.

The first paper type, provisionally labelled "B33" by Everett in his continuing investigation into the papers used by Vivaldi, has a rastrography (pattern of stave-lines) classified as 12/197.8: that is, the twelve staves measure 197.8 mm from the top line of the highest stave to the bottom line of the lowest stave. The second paper, "B25", has the slightly more compact rastrography 12/187.2. The page dimensions of both types are the same: about 230 mm (horizontal) by 310 mm (vertical).[14] Functionally, therefore, the two types are identical and will doubtless have been sold by the dealer as such.

Vivaldi used B33 paper for the first eight gatherings (fols 90–117), which transmit the first seven movements. The last folio in the group (fol. 117), a loose leaf glued (with the help of the stub of its original conjugate leaf) to a bifolio (fols 115–116), contains only the last five bars of the *Domine Deus, Agnus Dei*; its *verso* is blank. The fact that Vivaldi did not begin the eighth movement on fol. 117v does not admit of any easy interpretation, but it could be either the result of a subsequent change to the *Domine Deus, Agnus Dei* that altered its length or the "knock-on" effect of other changes.

Paper B25 served for gatherings 9–12. Vivaldi also used it on two occasions earlier in the manuscript: once (fol. 112) for an added folio presumably replacing the original one of B33 paper, and once (fol. 105r) for a paste-over patch containing bars 11–15 of the *Gratias agimus tibi*.

Both paper-types, with various rastrographies, were used by Vivaldi over a long period. B25 dates back at least as far as *Ottone in villa* (1713). With identical rastrography, it appears also in the manuscript of Vivaldi's *Laudate pueri Dominum* in C minor, RV 600. B33 has a greater number of rastro-

graphical concordances. One is the first gathering of the manuscript of the violin concerto RV 172 preserved in Dresden.[15] Dedicated in the score to Vivaldi's pupil and friend Johann Georg Pisendel, this work is likely to date from the time of the German violinist's sojourn in Venice (1716–1717). Moreover, paper used in the rest of the concerto manuscript exhibits rastrographical connections with several autograph manuscripts transmitting works of the same period, including those of the operas *Arsilda, regina di Ponto* and *L'incoronazione di Dario*, given their respective premieres on 27 or 28 October 1716 and 23 January 1717, and the oratorio *Juditha triumphans devicta Holofernis barbarie*, performed in late 1716. These dates cluster around the end of 1716 and the beginning of 1717, which is the period when the score of RV 589 is likely to have been composed and notated. Quite possibly, Vivaldi originally planned to use paper B33 for the entire manuscript but then ran out before the end, perhaps as a result of the waste of paper arising from his alterations. B25, a paper that Vivaldi appears to have begun using earlier, may have been a "reserve" kept for eventualities of this kind.

Vivaldi used the opening page of the first gathering, fol. 90r, as a title-page. Its text is entirely contained within the third and fourth pre-ruled barlines and between the sixth and ninth staves (reading downwards). It runs: "Gloria / à 4 con Istro:^{ti} / Del Viualdi / [flourish]".[16] Immediately above the uppermost stave he placed his famous monogram of superposed letters which, when written *in extenso*, as occurs in the autograph score of his opera *L'Olimpiade*, spells out LDBMDA. Religious mottoes presented in the form of initial letters were common in composition manuscripts of the time. For instance, we find the letters LDBV, standing for "Laus Deo Beataeque Virgini", in autograph scores by Alessandro and Francesco Scarlatti, Benedetto Marcello and even Vivaldi himself (the violin concerto RV 208). The longer formula used for Vivaldi's

---

[12] This paper with pre-ruled barlines is a precursor of the so-called "squared" music manuscript paper widely used in Britain a hundred years ago for the notation of orchestral and band music.

[13] PAUL EVERETT, *Gloria*, p. v.

[14] As is usual for Vivaldi's unbound manuscripts, the edges of the folios are left in untrimmed state.

[15] Dresden, Sächsische Landesbibliothek, Mus. 2389-O-42. The fact that the rastrologically identical paper used in this manuscript does not have the pre-ruled barlines suggests very strongly that their ruling occurred much closer to the point of use than that of the staves. For a fuller exposition of the rastrographical information see PAUL EVERETT, *Gloria*, p. vi.

[16] The manuscript is rounded off by a characteristically flamboyant "Finis", underlined with a flourish, after the final double barline on fol. 129r (fol. 129v is void).

monogram is less easy to expand into words, but no one has so far improved on Reinhard Strohm's suggestion of "Laus Deo Beataeque Mariae Deiparae. Amen". It so happens that eight other works by Vivaldi dating from around the same time as RV 589 display the monogram in their autograph scores: the concerto for two violins RV 507, the *Credo*, RV 591, the *Laudate pueri Dominum*, RV 600, the *Laudate pueri Dominum*, RV 602, the *Laetatus sum*, RV 607, the *introduzione* RV 635, the *introduzione* and *Gloria*, RV 639/588, and *Juditha triumphans*. All these manuscripts are semi-calligraphic in appearance and nearly all have separate title-pages. It may well be that there is no "deep" explanation for these similarities: Vivaldi may simply have adopted for a short time a habit that he soon abandoned.

Vivaldi's handwriting and notational style are typical for the period just before his move to Mantua in late 1717. The excessively elongated, "spidery" appearance of the notation seen in manuscripts from the beginning of the decade (that of the concerto "in due cori" RV 585 is a prime example) has given way to a more conventional appearance, but the thick pen-strokes associated with manuscripts of the 1720s and later are not yet in evidence. Pre-1720 habits such as the placing of gathering numbers on the right instead of the left and the use of "full" time signatures for triple metres (e.g., "3/4" rather than "3") are observed. We find, too, the expected notational simplifications: whole-bar rests are usually omitted; doubling passages are cued in via directions such as "Vt supra" or "Vnis:^ni", immediate repetitions of underlaid text are cued in with a special sign (resembling the modern symbol for division); underlaid text derived from other vocal parts in homophonic passages is simply omitted.

As usual, Vivaldi writes in the designations of the parts before the staves at the head of a movement only when they cannot be inferred from their clefs and layout. The violins and viola, the voices (using the soprano, alto, tenor and bass clefs), and the instrumental bass dispense with designations. This leaves only the wind instruments, a trumpet and an oboe, to identify by name. As is normal in Italian (but not German) scores of Vivaldi's period, the trumpet is called *tromba* and its part is notated at sounding pitch with full key signature.[17]

In the movements and sections written in the "severe" style (the *Propter magnam gloriam*, the *Qui tollis peccata mundi* and the *Cum Sancto Spiritu*), Vivaldi allows the instrumental bass occasionally to adopt clefs other than the usual bass clef. This occurs when the vocal basses are silent and another vocal part takes over the "bass" function. In general, albeit with some licence, Vivaldi makes his instrumental bass a *basso seguente* that doubles whichever vocal part is the lowest at the given time, and is read from the same clef.[18] The change to a "higher" (tenor, alto or treble) clef not only avoids leger lines: it also signals to the performers that the vocal bass is silent and implies that the melody instruments (cello, double-bass etc.) should pause until the bass clef returns. Small vertical strokes placed by Vivaldi beneath the staff of the instrumental bass each time the music departs from, or returns to, the bass clef (exceptionally, the tenor clef, as in bar 19 of movement 11), are very probably a signal to copyists to enter the appropriate rests in the parts of the melody instruments (the Bohemian composer Jan Dismas Zelenka employed an identical notational convention to distinguish "solo" and "tutti" scoring). The use of a higher clef implies, further, that the continuo realization should be kept light and simple, and in certain instances dispensed with. That is how clef "migration" has been interpreted in the present edition, where treble or bass clefs as appropriate do duty for the three C clefs used in the source. In the last movement of RV 589 Vivaldi provides, in the stave for the instrumental bass, a few models of how to "realise" a *basso seguente* written in a high clef (see bars 7, 16–18 and 72–73). These amount to little more than a doubling of one or two upper parts, and their purpose seems to be to restrain, rather than to encourage, the harmonisation of the lowest part. They have been retained in the present edition and can be distinguished from the notes of the editorial realisation by their appearance on the lower stave.

Questions of instrumentation are closely bound up with the nature of the place and purpose for which the present *Gloria* was first written. Most indicators

---

[17] German scores prefer to use the name *clarino* for a high trumpet part and to notate such parts in C major, even when the instrument is pitched in D.

[18] The American scholar Tharald Borgir has argued (*The Performance of the Basso Continuo in Italian Baroque Music*, Ann Arbor, U.M.I. Research Press, 1987, p. 13) against the use of *basso seguente* as a technical term, since it is not used with the same sense in literature of the baroque period, its meaning being exactly the same as that of *basso continuo*. However, the term, in its modern meaning, is both too entrenched and too convenient to abandon.

point to the Pietà, where, in 1716 and early 1717, Vivaldi still held prime responsibility for the composition of new sacred vocal works. All the solo voices are high (soprano or contralto), and the choral parts for tenor and bass stay relatively high most of the time. The *Coro* of the Pietà boasted a number of specialists in low parts, but even a modern female choir will be able to sing the tenor part with hardly any upward transposition, and the bass part with only selective transposition.[19] On the other hand, the combination of single trumpet and single oboe was favoured at San Marco during this period and doubtless continued to be favoured whenever the members of the *Cappella ducale* performed at festivals in other Venetian churches (but there is no reason, of course, why the Pietà, too, should not have adopted this instrumentation). The practical implications of settling the place of first performance are not very great. Any moderately conventional setting of the *Gloria* text was designed to become a repertory piece after its first outing on a special occasion. If RV 589 was first heard at the Pietà, Vivaldi will have reckoned from the outset with its later performance by male voices. If it first saw life at a church festival elsewhere, the composer will certainly have borne the *Coro* of the Pietà in mind for later performances. This means that no modern choir, whatever its size and make-up, need have qualms about performing the *Gloria* if it has the practical ability to sing the notes. For the performance of baroque works, the absolute size of the ensemble is rarely an issue in itself: what matters more is the internal balance of the ensemble and its relation to the performing space and acoustic.

The occasion on which RV 589 was inaugurated is even more elusive. It could well have been written for the celebration of Christmas in 1716 or, earlier in the same year, for the patronal festival of the Pietà on 2 July. I have elsewhere ventured the hypothesis that it was composed for a service of thanksgiving for Venetian military and naval victories over the Ottomans at the end of 1716.[20] This thought is prompted by the somewhat "military" character of the opening movement, which reminds one of the opening chorus of *Juditha triumphans*.

A setting of the *Gloria* in Vivaldi's day usually complemented one of the *Kyrie*—the two texts are sung during a service without a break (unless one chooses to intercalate a motet in the manner of Vivaldi's *introduzioni*). We know that Vivaldi had already composed at least one setting of the *Kyrie* by late 1716, since the minute of the governors, dated 2 June 1715, in which he is awarded the choirmaster's customary annual bonus of 50 ducats refers to "una Messa intiera".[21] The only surviving setting of the *Kyrie* by Vivaldi—in G minor and for double choir—dates from much later. It remains unclear whether RV 589 was composed at the same time as a companion *Kyrie*, now lost, or whether it was conceived as a new partner for a pre-existing setting of the *Kyrie*.

In this connection, the relationship of RV 589 to the "other" *Gloria* in D major, RV 588, acquires special relevance. The extraordinary parallels between the two settings—among other things, their similar tonal plans and near-identical final movements—suggest that one was composed as a replacement for the other, perhaps for use alongside the same *Kyrie* and *Credo*.[22] Sad to say, the relative chronology of the two works is not established, so one cannot be certain which served as the "model" for the other, even if I incline to believe that RV 589 is the later setting.[23] The truth may be even more complex than one imagines, since either work (or both) could be a *mélange* of movements composed at various times.

RV 588 possesses, as we know, an introductory motet (RV 639 and its variant RV 639a) whose final

[19] On the performance of tenor and bass parts at the Pietà, see MICHAEL TALBOT, *Tenors and Basses at the Venetian Ospedali*, "Acta musicologica", 66 (1994), pp. 123–138.

[20] MICHAEL TALBOT, *Sacred Vocal Music*, p. 331. The Republic and its allies defeated the Turks at Petrovaradin on 5 August 1716 and relieved the island fortress of Corfu on 22 August 1716.

[21] Venice, Archivio di Stato, Ospedali e luoghi pii diversi, Busta 689, Notatorio I, fols 172v–173r. "Intiera" (entire), in this context, probably means a *Kyrie*, a *Gloria* and a *Credo*.

[22] The parallels are discussed in some detail in MICHAEL TALBOT, *Sacred Vocal Music*, pp. 329–332. The autograph manuscript of the *Credo*, RV 591, is linked rastrologically to that of RV 588, to which it forms the natural partner, but RV 591 makes a perfectly satisfactory combination with RV 589 as well.

[23] Since the modifications to the *Cum Sancto Spiritu* fugue (independently borrowed, as we shall see, from a work by G. M. Ruggieri) are both more radical and more successful in RV 589, it is difficult to see why Vivaldi would have chosen, if RV 588 were the later work, to jettison them in favour of a more cautious reworking. True, the autograph manuscript RV 588 appears to be slightly later than that of RV 589, but since this source is (with some qualification) a fair copy rather than a composition manuscript, the implications for chronology are not decisive.

movement is "dovetailed" into the opening movement of the principal work. If RV 589 is to acquire, in modern performance, a similar *introduzione*, we have a choice between three free-standing works designed, according to their title and literary text, to precede a *Gloria*: *Cur sagittas, cur tela, cur faces*, RV 637 (for solo alto), *Longe mala, umbrae, terrores*, RV 640 (for solo alto), and *Ostro picta, armata spina*, RV 642 (for solo soprano).[24] Of these, by far the most suitable is RV 642, which can be dated to the same period, is perfectly congruent in key (being also in D major) and even bears distinct thematic resemblances to RV 589.[25] RV 640, which begins in B flat major and ends in E minor, is a somewhat later work. However, it can provide a useful tonal transition—as it was possibly intended to do originally—if the G minor *Kyrie*, RV 587, partners RV 589 in performance. RV 637, in B flat major, is too remote in chronological, stylistic and tonal respects to make a satisfactory pairing. Needless to say, there is no obligation to preface RV 589 by an *introduzione* at all.

There are three important questions of performance practice that also affect editorial practice: the allocation of vocal parts to choral or solo voices; the instrumentation of the bass; the notation and treatment of dynamics.

In conventional modern performances soloists and choir are rigorously separated: they stand apart, do not share musical material and even have different styles of vocal production. In Vivaldi's day, by contrast, the soloist in a performance in church was usually a leading member of the choir itself.[26] Accordingly, a "solo" passage, section or movement can be defined as a portion of music in which all the choral voices reading from a given stave drop out except one. The choir is conceived as a group of soloists—usually only one or two per voice type—supported by a number of "ripieno" singers. In general—and this principle applies widely in Italian church music of the early eighteenth century—the "ripieno" singers enter only when the full complement of vocal parts is deployed. When one sees, for example, just a soprano clef, or two soprano clefs, one infers that the music is for a single singer per part. Consequently, movements 3, 5 and 9 of RV 589 are unambiguously for solo voices, even though Vivaldi has not marked them expressly as such. The case of movement 7, the *Domine Deus, Agnus Dei*, is more complex. Here Vivaldi supplies "tutti" and "solo" markings for the alto line: the alto is "solo" when singing alone, "tutti" when singing alongside the other vocal parts. The dilemma is whether the soloist should fall silent during the "tutti" passages or should continue to sing. One is tempted to prefer the first option, since the responsorial effect it creates fits the regular alternation of "solo" and "tutti" and also the textual and textural distinctiveness of the two components. However, Vivaldi almost certainly intended the alto soloist to sing continuously, since he would otherwise have given him or her a separate stave (for which there was no lack of space on the page).

Vivaldi's instrumental bass part occupies a single stave. However, there can be no doubt that he had at his disposal for the performance of this part a large number and variety of both harmony and melody instruments. To the first category belong the organ, the harpsichord (or spinet) and plucked instruments such as the archlute and theorbo. To the second, cellos, double-basses, one or more bassoons and possibly (especially for use in movements in the *stile antico*) one or more trombones. It is certain that the full complement of bass and continuo instruments would not have been deployed for every movement, but Vivaldi offers no clues to how the instrumentation may have been varied. Following the usual practice of the New Critical Edition, the editorial markings "tutti" and "solo" are used in generic fashion to distinguish relatively heavily scored and more lightly scored movements and passages. The rule of thumb employed is that wherever the viola participates, the scoring is "tutti"; where it is absent, the scoring is "solo". A small departure from the Editorial Norms has been made in that the directions "solo" and "tutti", when added by the editor, are enclosed in parentheses. Naturally, the "tutti" and "solo" portions do not each have to be allocated to instruments in a uniform manner. For instance, if a solo oboe plays in movement 5, a bassoon can

---

24   All three *introduzioni*, edited by the present writer, have appeared in the New Critical Edition.

25   See MICHAEL TALBOT, *Sacred Vocal Music*, pp. 301–302. RV 642 refers in its text to the feast of the Visitation of the B.V.M., the patronal festival of the Pietà, and this could provide a clue to the place and date of the first performance of RV 589. However, caution is in order, since it is not certain (even if we accept the link as a given) that RV 642 was prefaced to RV 589 on its very first outing—it could, for example, have been added in July 1717.

26   One can make an exception for those cases in which an operatic singer made a "guest" appearance at a church service.

make an appropriate and effective partner, whereas a solo cello (plus organ or harpsichord) is well suited to the ritornello and "solo" vocal sections of movement 7. In the end, practical and pragmatic considerations, informed but not trammelled by historical information, must prevail.

An editorial realization of the continuo is provided in the score in the knowledge that nowadays many performers—perhaps a majority of those who specialise in baroque music—are well able to improvise their own. However, there remain many performers for whom this is an unfamiliar and difficult task, and it is for their sake that the realization is included in the score. It has to be designed for a specified instrument, and the present editor has chosen the organ, since this was undoubtedly the principal and most universally available harmony instrument employed in Italian church music of Vivaldi's time. The realization exploits to some degree the sustaining power of the organ. If a harpsichord is substituted, many notes will need to be repeated; chords will also benefit from thickening, possibly with the co-option of available fingers of the left hand to make what German theorists contemporary with Vivaldi called a *vollstimmig* (fully voiced) accompaniment. A lute or theorbo accompaniment will need to simplify and reorganise the part-writing more radically.

The original dynamic markings found in RV 589, as in most original sources of Vivaldi's music, are very sparse. In the present work they are limited to "piano" "enclaves" (echo-repeats or similar) and "forte" markings indicating the restoration of the original dynamic. Even at the head of movements no dynamic level is prescribed. Normally, one expects the dynamic to be loud at the start of a movement, if only because all the instruments are employed, but there can be exceptions. For example, a "sempre piano" marking—or at least a "piano" opening dynamic—would suit the *Et in terra pax* very well and make an effective contrast with the neighbouring movements. Then there is the vexed issue of whether, in a historically informed performance, dynamics should be only "terraced" or should admit both "terraced" and "gradated" treatment. In the present edition only a few editorial dynamics have been added, and these have a schematic, general, application within which nuances have to be supplied by the performers themselves.

It remains to make extra comments on individual movements.

1. *Gloria in excelsis Deo*

In this movement the oboe is treated very much as an *ersatz* second trumpet, and an appropriate tone-quality should be sought. Because many of the musical phrases are formed from odd numbers of half-bars, the accent is almost as likely to fall on the third as on the first beat of the common time bar.[27] The modern way of beating in four differentiates between first and third beats, and it is important not to allow this convention to influence the flow of the music. See the comments relating to movement 10.

2. *Et in terra pax*

This movement should certainly start quietly, but some swelling of the sound is called for in passages such as the rising sequence in bars 78–82. In the very comparable second movement of RV 588 the final bars, which in like fashion repeat an ostinato figure over tonic harmony, move first to a "piano" and then to a "più piano" dynamic (with the suggestion of a continuous decrescendo). Remarkably, Vivaldi's first idea was to have a *tierce de Picardie* in bar 89 and to maintain the major third until the end of the movement. Fortunately, he thought better of it and erased all the sharps.[28] The "Andante" tempo marking suggests, in the usage of Vivaldi's time, a quicker tempo than we would understand by the same term if used in a modern score.

3. *Laudamus te*

Vivaldi started by setting the "Lau" of "Laudamus" as two separate syllables, perhaps influenced by a *Gloria* in G major by G. M. Ruggieri in his possession (RV Anh. 24), which does the same. His subsequent decision to switch to a more conventional monosyllabic interpretation caused him to make several musical modifications.[29]

4. *Gratias agimus tibi*

The second section of this movement, in *alla breve* metre, is very likely a borrowing from a work by another composer once possessed by Vivaldi but now lost.[30] Its opening fugato (bars 7–15) is based on a

---

27 Consider, for instance, the case of bars 23 and 24 (also bars 34 and 35), where the suspension is struck on a third beat and resolved on the first beat of the next bar.

28 Details are given in PAUL EVERETT, *Vivaldi at Work*, pp. 83–84.

29 *Ibid.*, pp. 80–82.

30 On Vivaldi's extraordinary propensity to borrow or adapt music by other composers for movements or sections in the

subject whose archaic use of the flattened seventh degree (*subtonium*) is foreign to Vivaldi's usual style; uncharacteristic, too, is the augmented triad in bar 14. The "chromatic" subject employed from bar 18 onwards may also be a borrowing, though not necessarily from the same composition. In its original, simpler, form (which Vivaldi subsequently elaborated by interposing pairs of quavers) the motive and its harmonisation greatly resemble those found in the second movement of RV 588, initially at bar 23.[31]

5. *Domine Deus, Rex coelestis*

Vivaldi describes the obbligato instrument as "Violino ò Oboe solo". Even though mentioned second, the oboe seems the more natural choice because of its pastoral associations (the movement's rhythm is that of a siciliana, and the simple, repetitive bass conveys more than a hint of bagpipes) and the contrast of timbre that it brings. By allowing a violin to take the part instead, the composer caters for those occasions when a good enough oboist is not available or when the concertmaster (doubtless Vivaldi himself, in some of the original performances) demands priority. Although marked "Largo", this movement should not drag.

6. *Domine Fili unigenite*

Had this movement not occurred in a sacred work, Vivaldi would surely have appended the direction "alla francese" to the tempo marking. The music is totally dominated by the *saccadé* rhythm of the bass, and the rhythmic assimilation of the few "even" quavers to the prevailing "dotted" stereotype seems an obvious step to take. Editorial rhythm signs show how the modifications can be made.

7. *Domine Deus, Agnus Dei*

This imaginative movement combines—indeed, intertwines—adjacent sections of liturgical text that are normally set separately: "Domine Deus, Agnus Dei, Filius Patris" and "Qui tollis peccata mundi, miserere nobis". To complicate matters, it also brings

back the opening phrases of the texts set in the previous two movements: "Domine Deus, Rex coelestis" and "Domine Deus, Fili unigenite". Vivaldi was no stranger to conflation and troping of this kind—his experience as a priest seems to have made him almost casual in his handling of liturgical text—but this is certainly the most striking example of all. It is important when performing this movement to allow the bass, which knits it together with its repetitive figures, to come through strongly.

8. *Qui tollis peccata mundi*

The section in 3/2 metre beginning at bar 8 has no original tempo marking. The simple solution to the problem is to allow its first two syllables, "su" and "sci", to be sung in exactly the same time as their counterparts in bar 7. This movement could well be a borrowing in replacement of an earlier setting. It begins a fresh gathering after a blank *verso* (fol. 117r, ending the eighth gathering), and the absence of a key signature, when F sharp is required throughout, hints that its earlier status was that of a section within a composition in C major or A minor. Ruggieri would have been quite capable of conceiving the enharmonic ambiguity seen in bar 3.

9. *Qui sedes ad dexteram Patris*

The tempo of this movement should perhaps be influenced by the fact that the five-note motive beginning on the first note of bar 4 is a harbinger of the reappearance of the same musical idea (first encountered, in a different metrical context, in bar 2 of movement 1) in movement 10. The many sustained notes in the vocal line that stretch over two or more bars are better suited to *a messa di voce* (a swelling of the sound, followed by a subsiding) than to embellishment with trills or "divisions". There are many opportunities in this movement for *hemiola* phrasing (where two adjacent bars in 3/8 metre are phrased and accented like one bar in 3/4).

10. *Quoniam tu solus sanctus*

Everett, like others before him, comments with disappointment on the extreme brevity of this movement.[32] Its music is in fact a reprise of that of movement 1—but lacking all the central modulations and thematic development. This prompts an interesting speculation. It is not normal in settings of the *Gloria*

---

stile antico, see MICHAEL TALBOT, *Sacred Vocal Music*, pp. 464–483. Everett's doubtless correct surmise (*Gloria*, p. viii) that the patch on fol. 105v, which contains bars 11–15, was needed to reinstate an accidentally omitted bar (probably bar 15) lends further support to the idea that Vivaldi was copying out, rather than composing afresh, the musical text.

31 The elaboration is discussed in PAUL EVERETT, *Vivaldi at Work*, pp. 82–83.

32 PAUL EVERETT, *Gloria*, p. vi.

from Vivaldi's period for thematic as well as tonal "rounding" to occur in the last movement or group of movements. In RV 588 the equivalent movement remains in a foreign key (G major) and is thematically unrelated to the first movement. But such abridged reprises are very common in settings of Vesper psalms, where the words of the Lesser Doxology "Sicut erat in principio, et nunc, et semper, et in saecula saeculorum" allow the composer to pun on the reference to the "beginning" by returning to his opening material. A good example of this procedure as it applies to Vivaldi's music is found in the *Dixit Dominus*, RV 595, a work close in time to RV 589. Here, too, the penultimate movement is a retexted and drastically abridged version of the first. Could it be that movements 1 and 10 of RV 589 have been "lifted", with appropriate retexting and rhythmic adjustment, from a psalm setting? This would indeed help to explain why movement 1 was notated without alterations arising from second thoughts. Because of the shortness of the *Quoniam tu solus sanctus*, it is best to treat it, in interpretative terms, as an introduction to the concluding double fugue. This entails a swift transition to the final movement.

11. *Cum Sancto Spiritu*

The first of Vivaldi's "borrowed" movements to be unmasked, this movement, and the manner of its derivation from the equivalent movement of a *Gloria* in D major for double choir and orchestra (dated 9 September 1708) by his older contemporary Giovanni Maria Ruggieri; have been much discussed.[33] The sole surviving source of this work (RV Anh. 23) is found among the compositions of Vivaldi's personal musical archive.[34] Ruggieri, who is thought to have been Veronese by origin, is not a very polished composer, but he is certainly a vigorous one.[35] Vivaldi's compression of Ruggieri's score to make a version for performance by a single *coro* stays very close to the model most of the time. In several places, Vivaldi makes small but definite improvements (particularly in the writing for trumpet, the word-setting, the use of chromatic inflection and the development of motives); once or twice, he handles the conversion clumsily, particularly in the instrumental bass part. As Everett has rightly observed, Vivaldi was averse to making very substantial revisions of earlier music, whether his own or that of others.[36] In that respect, his borrowings are very different from those of Handel. In the circumstances, one must be grateful that Ruggieri's movement is not only a fine composition in its own right but also conforms so well in thematic respects to the rest of RV 589. Vivaldi's ethics may have been suspect, but his musical judgement was sound.

In the present edition the spelling and punctuation of the liturgical text appear in normalised form. The text of the Gloria is given in the Italian version of these Introduction.

---

[33] Michael Talbot, *Sacred Vocal Music*, pp. 132–136 and 466–472; Paul Everett, *Vivaldi at Work*, pp. 75–77, and *Gloria*, pp. viii–ix. Everett's edition contains, as an appendix, a complete critical edition of Ruggieri's fugue.

[34] Turin, Biblioteca Nazionale Universitaria, Foà 40, fols 63–97. How and when Vivaldi (or his father?) acquired this sizable collection of sacred vocal music by other composers is a question still awaiting an answer.

[35] Ruggieri is described as "Cittadino Veronese" in the manuscript of an operatic aria by him in the library of the Sacro Convento di San Francesco, Assisi (Mss. N. 174/10). This is plausible, given the presence of a prominent Ruggieri family in Verona. However, one cannot exclude the possibility that the phrase is an erroneous resolution of the abbreviation "C.V." (present in the score of RV Anh. 23), which can also stand for "Cittadino Veneto" or "Cittadino Veneziano". In his publications Ruggieri refers to himself as "Cittadino Veneto"—a citizen of the Venetian state rather than of the city of Venice—and this description is compatible with birth in either Verona or Venice.

[36] Paul Everett, *Vivaldi at Work*, p. 75.

GLORIA

RV 589

GLORIA

per due soprani e contralto solisti, coro a quattro voci miste,
tromba, oboe, due violini, viola e basso

RV 589

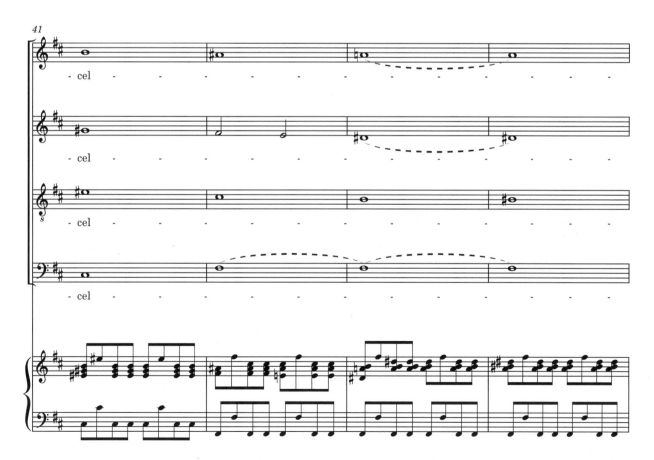

II

Andante

18

et in ter - ra pax ho - mi - ni-bus bo-nae,

bo - nae, bo - - - nae vo - lun -

-nae vo - - - lun - - - ta - tis.

- mi - ni - bus, et in ter - ra pax ho -

23

bo - nae vo - - - lun - - ta - tis,

-ta - tis. Et in

Et in ter - ra pax ho - mi - ni-bus

- mi - ni-bus bo - nae, bo - - nae vo -

III

Allegro

Soprano I

(solo) (*f*)

Lau - da - mus te.

Soprano II

(solo) (*f*)

Lau - da - mus

Be - ne - di - ci-mus te. A - do - ra - mus te. Glo-

te. Be - ne - di - ci-mus te. A - do - ra-mus te.

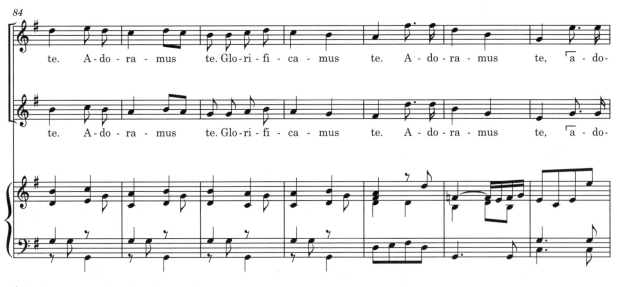

* Vedi Apparato critico / *See Critical Commentary*

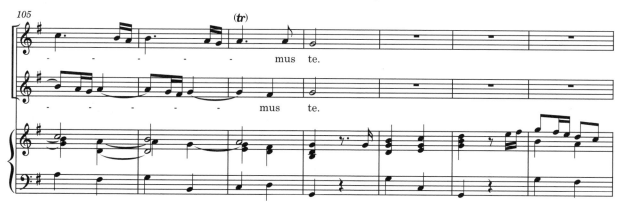

22

IV

Adagio

141113

V

Largo

Soprano (solo) (*f*)

Do — mi — ne

De — us, Rex coe-le — stis, De — us Pa — ter, De — us

Pa - - - - - - ter om-ni - po-tens.

28

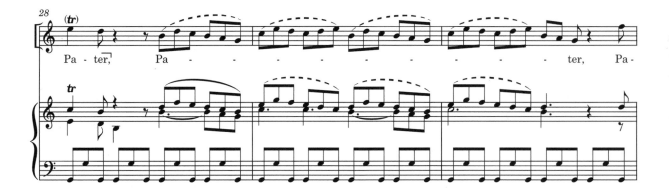

VI

Allegro

VII

Adagio

VIII

*Vedi Apparato critico / *See Critical Commentary*

IX

Allegro

21 Contralto

(solo) (*f*)

Qui se -

29

- - - des ad de - - - - xte - ram Pa - tris,

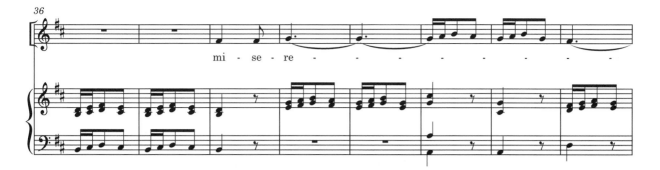

mi - se - re - re, mi - se - re - re____ no - bis,

mi - se - re - re, mi - se - re - re, mi - se -

- re - re____ no - bis.

(f)

X

(Allegro)

x

XI

Allegro

Soprano
(f)
Cum Sancto Spi - ri-tu, in glo-ri-a De - i
Contralto
Tenore
Basso
(f)
Cum San - cto Spi - ri - tu, in glo - ri - a
(f)
4
Pa - tris, in glo - ri - a De - i Pa - tris. A - men, a -
(f)
Cum San - cto
De - i Pa - tris, De - i Pa - tris. A - men.

52

141113

in glo - ri - a De - i Pa - tris, De - i Pa - tris. A -

a - men, a - men, a - - -

Spi - ri-tu, in glo-ri-a De - i Pa - tris, in glo-ri-a De - i Pa - tris. A -

-men,

-men.

-men.

-men,

APPARATO CRITICO

L'apparato usa le lettere S, C, T, B per le parti vocali di Soprano, Contralto, Tenore e Basso. Al basso strumentale si fa riferimento con il termine «Basso».

movimento, battuta	strumento, voce	
I, 24	Tutte le parti	Sotto il sistema, sul terzo tempo, Vivaldi ha inserito un grande simbolo, simile a un diesis, che indica l'inizio di un taglio. Un simbolo similmente stilizzato e posizionato, a b. 28, segna la fine del taglio. Il taglio è chiaramente opzionale; deve essere stato inserito in una o più occasioni al fine di ridurre la durata dell'esecuzione. Né questo né altri tagli introdotti successivamente nello stesso modo hanno qualsiasi giustificazione musicale.
I, 39	Tutte le parti	Vivaldi indica un taglio tra le bb. 38 e 62.
II, 37	Tutte le parti	Vivaldi indica un taglio tra le bb. 36 e 72.
II, 64	B	Le note nelle bb. 64 e 65 sono unite con una legatura di valore (o di articolazione?), probabilmente per errore.
II, 81	T	La sillaba «vo» è posta per sbaglio sotto la nota 3 della b. 80
II, 89	S, C, T, B	Le note finali di tutte le parti vocali hanno una corona. L'intenzione non è presumibilmente quella di prolungare le note relative, ma di completare il gruppo di corone che, nelle altre parti, sono poste sull'ultima battuta.
III, 42	Tutte le parti	Vivaldi indica un taglio tra le bb. 41 e 80.
III, 70	S 2	Vivaldi grattò via il bemolle che aveva in origine scritto davanti alla nota 3 del secondo soprano, ma lasciò intatta la numerica relativa alla nota 2 del basso, che prescrive la bemollizzazione della nota stessa. Poiché il Si bemolle è più facile da intonare con precisione del Si naturale e, aspetto più importante, è coerente con la generale predilezione, in questo movimento, per catene di settime di dominante, abbiamo eccezionalmente preferito mantenere la lezione originaria di Vivaldi.
III, 72	S 2	Le due legature in questa battuta sono forse un completamento puramente convenzionale del segno di terzina «3», ma l'apparizione nella parte precedente del movimento di legature all'interno di passaggi melismatici (come quello che inizia a b. 30) suggerisce che possano rappresentare veri e propri segni di fraseggio. Vivaldi non aggiunge infatti meccanicamente legature ai segni di terzina nei suoi manoscritti autografi.
V, 12	S	Note 1-2 sormontate da legatura. Con ogni probabilità, si tratta di un sistema puramente convenzionale per chiarire l'intonazione delle parole.
V, 22	S	Note 2-3 sormontate da legatura (cfr. b. 12).
V, 26	S	Note 6-7 sormontate da legatura (cfr. b. 12).

V, 31	S	Note 1 e 2, con gambi separati, sono sormontate da legatura. Lo stesso a b. 36. Questo è il sistema consueto utilizzato da Vivaldi per «annullare» la separazione dei gambi.
VI, 11	C	Note 2-5 unite da trattino. Vivaldi corregge legando separatamente le note 2-3 e 4-5.
VI, 18	T	Nota 3 re^3, probabilmente per un momento di disattenzione di Vivaldi piuttosto che per un *lapsus calami*.
VI, 22	T	La sillaba «Je» manca e il suo posto è occupato da un segno che indica il prolungamento della sillaba precedente. La b. 22 è la prima del sesto fascicolo, mentre la b. 21 è l'ultima di una carta sostitutiva alla fine del quinto fascicolo. Molto probabilmente, pertanto, la sillaba «Je» iniziava in origine prima dell'attuale b. 22.
VI, 32	T	Note 2-3 sormontate da legatura (cfr. V, 12).
VI, 48	B	Nota 3 col punto.
VI, 53	S	Minima puntata senza pausa.
VI, 59	T	Nota 3 senza bemolle.
VI, 61	B	Minima puntata senza pausa.
VI, 63	B	Note 3-4 unite da trattino.
VI, 80	B	Il ritmo delle due note è invertito.
VI, 83	T	Note 3-4 sormontate da legatura (cfr. V, 12).
VII, 30	C	Nelle parti vocali spesso (ma non sempre) Vivaldi lega la mediante alla sopratonica trillata in cadenze di questo tipo. Questo può essere un mezzo per evitare che il cantante inizi il trillo con una nota superiore articolata separatamente. La legatura torna nella b. 34.
VII, 35	B	Note 5-6 sormontate da legatura (cfr. V, 12).
VIII, 8	Tutte le parti	La fonte ha un singola stanghetta di battuta (prerigata) prima del cambiamento di metro all'inizio di questa battuta.
IX, 3	Basso	Nota 2 la^1 diesis. Questa nota deve rappresentare l'intenzione originale di Vivaldi. Funziona benissimo – le ottave consecutive con la parte di violino significano solo che il raddoppio incomincia una nota prima – ma poiché in tutti i passi paralleli (bb. 60, 82 e 94) appare la dominante anziché la tonica, migliorando molto l'effetto, la nota a b. 3 è stata emendata per coerenza.
IX, 13	Tutte le parti	Vivaldi indica un taglio tra le bb. 12 e 20.
IX, 63	Tutte le parti	Vivaldi indica un taglio tra le bb. 62 e 98. Il taglio non sembra avere molto senso, in quanto il cantante deve omettere la parola iniziale di una frase («Qui»). Forse la vera intenzione del compositore era che la musica dovesse riprendere a b. 97, con Fa diesis al posto di Re nelle parti strumentali.
IX, 68	C	Note 1-2 sormontate da legatura (cfr. V, 12).
IX, 79	C	Cfr. VII, 30 per quanto concerne la legatura.
IX, 137	Tutte le parti	Vivaldi indica un taglio tra le bb. 136 e 143.
X, 17	T	Le note 1-2 sono sormontate da legatura (cfr. V, 12).
X, 18	S, B	Le note 1-2 sono sormontate da legatura (cfr. V, 12).
XI, 5	S	Le note 1-2 sono sormontate da legatura (cfr. V, 12); lo stesso alla b. 41.
XI, 15	B	Note 1-2 sormontate da legatura (cfr. V, 12).

XI, 22	Tutte le parti	Vivaldi indica un taglio tra le bb. 22 (tempo 2) e 50 (tempo 3). Se si effettua il taglio l'accordo sul tempo 3 della b. 50 dovrebbe essere maggiore.
XI, 27	C	Note 6-7 sormontate da legatura (cfr. V, 12).
XI, 60	S	Note 3-4 sormontate da legatura (cfr. V, 12).
XI, 63	T	Note 3-4 sormontate da legatura (cfr. V, 12).
XI, 76	T	Note 2-3 sormontate da legatura (cfr. V, 12).
XI, 76	B	Note 3-4 sormontate da legatura (cfr. V, 12).
XI, 78	S, C, T, B	La sillaba «men» viene omessa (probabilmente per mancanza di spazio a causa delle corone).

CRITICAL COMMENTARY

The commentary uses the letters S, C, T and B for the vocal parts Soprano, Contralto, Tenor and Bass. The instrumental bass is identified as "Basso".

movement, bar	instrument, voice	
I, 24	All parts	Beneath the system, at beat 3, Vivaldi has written a large symbol resembling a sharp that indicates the start of a cut. A similarly styled and positioned symbol in bar 28 marks the end of the cut. The cut is clearly optional since no matter is deleted; it must have been introduced on one or more occasions in order to shorten the performance time. Neither this cut nor any of the ones introduced subsequently in the same manner has any musical justification.
I, 39	All parts	Vivaldi indicates a cut between bars 38 and 62.
II, 37	All parts	Vivaldi indicates a cut between bars 36 and 72.
II, 64	B	The notes in bars 64 and 65 are joined with a tie (or slur?), probably in error.
II, 81	T	The syllable "vo" is incorrectly placed under note 3 of bar 80.
II, 89	S, C, T, B	The final notes of all the vocal parts have a fermata. This intention is presumably not to prolong the notes themselves but to complete the set of fermatas which, in the other parts, are placed in the last bar.
III, 42	All parts	Vivaldi indicates a cut between bars 41 and 80.
III, 70	S 2	Vivaldi erased the flat that he had originally written before note 3 of the second soprano part but left intact the figuring to note 2 of the bass, which prescribes flattening of the same note. Since B flat is easier to sing accurately than B natural and, more importantly, is in conformity with the general predilection in this movement for chains of dominant sevenths, we have, exceptionally, allowed Vivaldi's first thought to stand.
III, 72	S 2	The two slurs in this bar are possibly a purely conventional accompaniment to the triplet marking "3", but the appearance earlier in the movement of slurs within melismatic passages (such as the one beginning in bar 30) suggests that they represent genuine phrasing. Vivaldi does not routinely add slurs to triplet markings in his autograph manuscripts.
V, 12	S	Notes 1–2 slurred. This is most probably a purely conventional device for clarifying the word-setting.
V, 22	S	Notes 2–3 slurred (cf. bar 12).
V, 26	S	Notes 6–7 slurred (cf. bar 12).
V, 31	S	Notes 1 and 2, separately flagged, are slurred. Similarly in bar 36. This is Vivaldi's standard method of "undoing" separate flagging.

VI, 11	C	Notes 2–5 continuously beamed. Vivaldi makes the correction by slurring separately notes 2–3 and 4–5.
VI, 18	T	Note 3 d′. This was probably a slip of the mind rather than of the pen.
VI, 22	T	The syllable "Je" is absent, its place being taken by a sign indicating prolongation of the preceding syllable. Bar 22 is the first of the sixth gathering, while bar 21 is the last of a replacement folio at the end of the fifth gathering. Very likely, therefore, the syllable "Je" originally started earlier than the present bar 22.
VI, 32	T	Notes 2–3 slurred (cf. V, 12).
VI, 48	B	Note 3 with dot.
VI, 53	S	Dotted minim without rest.
VI, 59	T	Note 3 without flat.
VI, 61	B	Dotted minim without rest.
VI, 63	B	Notes 3–4 beamed together.
VI, 80	B	The rhythm of the two notes is inverted.
VI, 83	T	Notes 3–4 slurred (cf. V, 12).
VII, 30	C	In vocal parts Vivaldi often (but not invariably) slurs the mediant to the trilled supertonic in cadences of this type. This may be a way of preventing the singer from starting the trill with a separately articulated upper note. The slur recurs in bar 34.
VII, 35	B	Notes 5–6 slurred (cf. V, 12).
VIII, 8	All parts	The source has a single (pre-ruled) barline before the change of metre at the start of this bar.
IX, 3	Basso	Note 2 A sharp. This note must represent Vivaldi's original intention. It works perfectly well—the consecutive octaves with the violin part mean merely that the doubling begins one note earlier—but because in all parallel passages (bars 60, 82 and 94) the dominant appears in place of the leading note, greatly improving the effect, the note in bar 3 has been changed for the sake of consistency.
IX, 13	All parts	Vivaldi indicates a cut between bars 12 and 20.
IX, 63	All parts	Vivaldi indicates a cut between bars 62 and 98. The cut makes little ostensible sense, since the singer has to omit the opening word of a phrase ("Qui"). Perhaps the composer's real intention was that the music should resume in bar 97, with F sharp replacing D in the instrumental parts.
IX, 68	C	Notes 1–2 slurred (cf. V, 12).
IX, 79	C	Cf. VII, 30 regarding the slur.
IX, 137	All parts	Vivaldi indicates a cut between bars 136 and 143.
X, 17	T	Notes 1–2 slurred (cf. V, 12).
X, 18	S, B	Notes 1–2 slurred (cf. V, 12).
XI, 5	S	Notes 1–2 slurred (cf. V, 12); similarly in bar 41.
XI, 15	B	Notes 1–2 slurred (cf. V, 12).
XI, 22	All parts	Vivaldi indicates a cut between bars 22 (beat 2) and 50 (beat 3). If the cut were applied, the chord on beat 3 of bar 50 would need to be made major.

XI, 27	C	Notes 6–7 slurred (cf. V, 12).
XI, 60	S	Notes 3–4 slurred (cf. V, 12).
XI, 63	T	Notes 3–4 slurred (cf. V, 12).
XI, 76	T	Notes 2–3 slurred (cf. V, 12).
XI, 76	B	Notes 3–4 slurred (cf. V, 12).
XI, 78	S, C, T, B	Syllable "men" omitted (probably through lack of space caused by the fermatas).